STORIA

a cura di Cosimo Semeraro

ROSALBA PANVINI

# Γέλας

*Storia e archeologia dell'antica Gela*

SOCIETÀ EDITRICE INTERNAZIONALE

TORINO

Si ringraziano l'arch. Giuseppe Castelli, autore delle foto, il sig. A. Catalano, autore di alcuni dei disegni, i sigg. S. Burgio e A. Biccini, che hanno curato il restauro dei reperti archeologici. Un sentito ringraziamento va ai geometri C. Casano, F. Messina, V. Cinardi, a S. Quartinello, a A. Schembri e a tutto il personale di custodia del Museo Archeologico di Gela per la cortese collaborazione.

Prima edizione 1996
*Prima ristampa senza modifiche* ottobre 1996

Officine Grafiche Subalpine - Torino
Ottobre 1996                                    ISBN 88.05.05501.8

# Indice

IX  *Prefazione*

3  *Introduzione*

5  I. Profilo geologico del territorio gelese
Gli insediamenti umani dall'età neolitica all'età del bronzo antico, 7   Il territorio gelese tra bronzo recente e bronzo finale e nel periodo antecedente alla colonizzazione greca, 19

22  II. La fondazione di Gela attraverso le fonti
L'occupazione e l'organizzazione della colonia. I primi monumenti sacri, 24   Il territorio, 32   La produzione artistica: importazioni e officine locali, 38

43  III. Gela tra il VII e il VI secolo a.C.
L'acropoli, gli edifici di culto, l'emporio e il porto, 44   L'emporio e il porto, 54   I santuari extraurbani e i culti, 58   Gli insediamenti rurali: un esempio da Piano Camera, 64   La produzione artistica: importazioni e officine locali, 66   Le necropoli, 69

73  IV. Il periodo della tirannide (505-478 a.C.)
L'acmé di Gela: i rapporti commerciali con la madre patria e le altre città dell'Egeo. La nave greca: importazioni ed esportazioni. La circolazione monetale, 77   Il programma urbanistico e architettonico e la produzione artistica, 84   Il tempio dorico C (Athenion), 87   I rapporti culturali con la madre patria nel ricordo delle fonti, 88

91  V. Da Ierone alla distruzione cartaginese del 405 a.C.
Produzione architettonica, artistica e circolazione monetale, 93

99  VI. Gela nel IV secolo a.C.
Il periodo da Timoleonte alla distrizione di Phintias (339-282 a.C.), 100   L'impianto urbano, i quartieri dell'acropoli e gli edifici sacri, 103   I complessi urbani ed architettonici di Capo Soprano: i quartieri abitativi, i bagni,

la villa suburbana, la casa-bottega, 106   La produzione artistica e la circolazione monetaria, 114   Le mura di fortificazione di Capo Soprano, 117   Le necropoli e le fornaci, 120   Personalità letterarie del IV secolo a.C., 121

122   VII.   Gela e il territorio in età romana: le fonti, gli insediamenti abitativi e i complessi ipogeici, i *praedia* Calvisiana e di Galba, la diffusione del cristianesimo; la «massa Gelas»
La fondazione federiciana di Heraclea, 130

132   VIII.   La storia di Γέλας attraverso gli studi e le scoperte

137   *Elenco delle abbreviazioni*

139   *Bibliografia*

157   *Note*

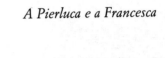

*A Pierluca e a Francesca*

Prefazione
# Tucidide e la storia di Gela

«A fondare Gela furono insieme Antifemo di Rodi ed Entimo di
Creta i quali condussero coloni dalle rispettive città nel corso del qua-
rantacinquesimo anno dopo la colonizzazione di Siracusa, e la città fu
denominata dal fiume Gela, ma lo spazio dove ora si trova la città e
che prima fu circondato da mura, si chiama Lindioi: ebbero leggi doriche. Circa 108 anni dopo la colonizzazione i Geloi fondarono Agrigento, città che così chiamarono dal nome del fiume Agrigento desi-
gnandone fondatori Aristonoo e Pistilo, e imponendo le leggi dei Geloi». È un testo celebre di uno storico celeberrimo, l'«archeologia siciliana» di Tucidide[1], che permette di fissare qualche aspetto importante della storia di Gela, che è anche espressione di motivi dominanti
della storia della Grecia.

1. In primo luogo, a chi risalgono le notizie sulla storia arcaica di
Gela contenute nel passo citato? In altre parole, quale è la fonte del profilo tucidideo sulla più antica storia della Sicilia in cui son comprese le
notizie su Gela? Rispondere al quesito vuol dire in pratica conoscere la
fonte più antica della storia di Gela. Si è pensato, ad esempio, a Ippi di
Reggio, a Ellanico di Lesbo, ad Antioco di Siracusa: ma si è anche pensato che lo stesso Tucidide abbia potuto elaborare questo *excursus* soprattutto se, poniamo, egli avesse visitato la Sicilia e quindi avesse in
qualche modo attinto alle tradizioni storiche locali. E nessuno certamente si sognerà mai di ignorare una possibile riflessione personale
di Tucidide: si vedrà più avanti quanto ciò sia probabile, ma che egli
avesse davanti agli occhi un testo, e lo utilizzasse quasi alla lettera, appare ancor più probabile. Basti pensare alla presenza di ἐγγύς, ἐγγύτατα
vicino ai numerali, che è un uso non tucidideo, all'uso di ὅστις invece di
ὅς, all'uso di κληθείς anziché καλούμενος: segno evidente che l'autore
dell'*excursus* scriveva in modo diverso rispetto a Tucidide, aveva un
suo stile e un suo lessico che lo distinguevano dallo storico ateniese[2].

Questi stessi elementi dell'uso linguistico non sono tuttavia sufficienti per una identificazione dell'autore, soprattutto per il carattere frammentario degli autori, che sono «possibili» fonti dell'*excursus*, tale da non consentirci di avere un'idea attendibile del loro stile e del loro lessico; se ne può ricavare comunque qualche indicazione interessante. E, in effetti, una volta escluso Ippi di Reggio perché sostanzialmente è solo un nome, ed è precluso qualsiasi riscontro, restano Ellanico di Lesbo e Antioco di Siracusa, ma quest'ultimo solo, pur nella modestia dei frammenti pervenutici, permette una verifica: due usi caratteristici dell'autore dell'*excursus*, il relativo ὅστις al posto di ὅς, e la presenza dell'aoristo passivo di καλέω invece del presente medio, trovano rispondenza in quel poco che resta di Antioco[3]. È pur vero che può essere soltanto opera del caso se di Antioco ci sono rimasti dei frammenti che permettono il riscontro e di frammenti di Ellanico ce ne son rimasti anche di più che tuttavia non contengono elementi di raffronto: ma, per altro verso, è molto difficile pensare a Ellanico solo perché si è occupato delle fondazioni siceliote nella sua opera *Hiereiai*, quando invece lo stesso Tucidide non aveva esitato a manifestare il suo scarso apprezzamento per le cronologie da lui adottate[4].

Se è fragilissima, come in realtà è, nei confronti di Antioco l'obbiezione che egli non desse indicazioni cronologiche, dato che la nota di Dionisio di Alicarnasso[5] si riferisce solo alla migrazione sicula, lo storico siracusano non può vantare, è vero, prove di gran peso dalla sua parte, ma nemmeno presta il fianco a obbiezioni di qualche sorta: tutto questo è ben noto. Un indizio comunque può venire a favore di Antioco dalla stessa migrazione sicula, un indizio che nel contempo implica l'esclusione di Ellanico; in effetti si legge nel nostro *excursus* che la migrazione sicula avvenne 300 anni prima della venuta dei Greci in Sicilia[6], cosicché, partendo dal 734/3 si giunge al 1034/3 che è una data assolutamente inconciliabile con la cronologia adottata da Ellanico, il quale poneva la migrazione sicula nella terza generazione prima della guerra di Troia[7].

Resta quindi Antioco soltanto, ma non solo per esclusione; la migrazione sicula avvenne 300 anni prima della fondazione di Nasso, leggiamo nel nostro testo; ossia nel 1034/3 e fu condotta da Sikelos. Ora, noi conosciamo i precedenti della storia di Sikelos proprio da Antioco di Siracusa, e cioè che si succedettero, risalendo all'indietro, prima di Sikelos Morghetes, quindi Italos, e poi Oinotros, e al succedersi di costoro corrispondeva un cambiamento del nome della regione[8]. Risalendo ancora indietro troviamo Brettos, per cui la regione si chiamò Brettia[9] (in sostanza era la stessa *Italìa*, la cui configurazione poteva mutare in rapporto alle vicende del momento). Brettos era figlio di Herakles, e la generazione successiva a Herakles corrispondeva alla generazione della guerra di Troia, cosicché, nel computo di Antioco, dalla guerra di Troia alla migrazione sicula intercorrevano cinque generazioni.

Non ci è nota per altra via la durata della generazione di Antioco, ma possono sussistere pochi dubbi che essa fosse di 40 anni: infatti, calcolando le cinque generazioni citate, si giunge al 1194, che è la data «bassa» dei *Troikà*[10], cosicché una generazione più breve sarebbe difficilmente conciliabile con i dati della tradizione. Allora Antioco, per quanto par più verosimile, adottava una generazione di 40 anni e fissava il decennio dei *Troikà* nel periodo 1194-84, ed è altrettanto verosimile che su questi stessi elementi fosse fondata la cronologia tucididea. Ottant'anni separavano, per Tucidide[11], la guerra di Troia dal ritorno degli Eraclidi; è lo stesso dato che caratterizza il «sistema» cronologico di Eratostene-Apollodoro[12], che pone i *Troikà* nel 1184 e il ritorno degli Eraclidi nel 1104.

Se questo è vero, sembra delinearsi una «saldatura» fra Antioco e Tucidide sul piano cronologico e potrebbe essere lo spunto più significativo in favore di Antioco per la paternità dell'*excursus* tucidideo e delle più antiche notizie sulla storia di Gela; l'autore, se realmente fu Antioco, chiudeva la sua narrazione con la pace di Gela del 424, non si può dire se perché i casi della vita gli impedirono di andar oltre, o se per una sua scelta che sarebbe indizio di una prospettiva rigorosamente siciliana; certo è che, se Tucidide non lo cita riguardo alla spedizione ateniese in Sicilia, ciò non vuol dire che lo storico siracusano non potesse trattarne nella sua opera. Tucidide usa la sua fonte nei limiti che ritiene opportuni, e la integra, se crede, con dati e considerazioni legati, di volta in volta, al suo punto di vista: ad esempio i 300 anni relativi alla migrazione sicula sono un dato che egli non ha potuto trovare in Antioco, se è vero che questi non dava alcuna indicazione cronologica riguardo a questo avvenimento. Ma è anche difficile che Tucidide potesse trovarla in autori che seguivano tradizioni del tutto diverse sul piano cronologico (ad es. Filisto, oltre a Ellanico, di cui si è già detto): se i 300 anni son frutto di un calcolo dello stesso Tucidide, come pare più verosimile, ben se ne coglie la logica nella volontà di assimilare questa data — come altre (ad es. la migrazione dei Beoti 60 anni dopo la presa di Troia[13], o la data della legislazione di Licurgo[14]) — al sistema cronologico che faceva capo ai *Troikà*[15].

2. L'intervento di Tucidide sulla sua fonte — sul testo di Antioco verosimilmente, per essere consequenziali a quel che prima si è esposto — è palese nella notizia su Gela attraverso un richiamo al confronto con lo *status* della città al tempo dell'autore: «lo spazio dove *ora* si trova la città... si chiama Lindioi». Qual è il momento che Tucidide «fotografa» con queste parole? Ossia: è un momento anteriore o posteriore al 405, anno in cui i Cartaginesi abbatterono le mura della città? Il problema ha una particolare rilevanza anche perché — come è noto — la soluzione in un senso o nell'altro implica conseguenze diverse, anzi opposte, riguardo alla questione tucididea nella contrapposizione tradizionale di unitari e antiunitari. Peraltro, i libri siciliani, VI e VII, grazie a una loro possibile unità di concezione e a una certa coesione di sviluppo, hanno suggerito, soprattutto in passato, l'ipotesi di una genesi autonoma, anteriore ovviamente al definitivo disegno storiografico. Opinione, questa, talvolta vigorosamente respinta in favore di una datazione «bassa», talvolta presentata in veste rinnovata[16], ma comunque quel che appare elemento di maggior interesse è la fondamentale unità dei due libri di cui l'*excursus* è parte integrante, anzi per alcuni versi ne è il punto di riferimento.

La chiave dell'interpretazione del passo è stata vista essenzialmente nella proposizione ὅσ πρῶτον ἐτειχίσθη, intesa nel senso che le mura costruite per prime a Gela furono quelle che fortificavano l'area denominata Lindioi; ne deriverebbe una conclusione in senso antiunitario, in quanto, se questo è il valore di πρῶτον, si presuppone un'altra cinta muraria ancora esistente, mentre invece questa era stata abbattuta dai Cartaginesi nel 405: quindi Tucidide ha istituito il confronto con i suoi tempi prima del 405, quando ancora non conosceva l'esito della guerra e la sorte di Atene, fatti che invece risultano ben noti all'autore in altre parti dell'opera[17].

L'ipotesi è interessante di sicuro, ma non strettamente consequenziale alla lettera del testo; in realtà l'eventuale conoscenza di una seconda cinta muraria non implica necessariamente che questa non potesse essere stata abbattuta, come, per altro verso, la menzione di una prima cinta muraria non implica che questa non dovesse esistere più quando Tucidide scriveva, se si intende πρῶτον nel senso di «per primo». E poi: ricorre due volte a brevissima distanza il termine *polis*, la prima volta si riferisce alla città quando fu fondata e prese il nome dal fiume Gela; la seconda volta si riferisce all'area denominata

Lindioi; vien da chiedersi allora se lo stesso termine *polis* definisca la medesima realtà, ossia la città di Gela, o definisca invece due realtà diverse nell'ambito della stessa città. Appare ovvia la precarietà della seconda ipotesi: poniamo, ad esempio, che *polis* significasse «città» la prima volta, e significasse «acropoli» la seconda: a quale delle due menzioni va attribuito il valore di «città» e a quale quello di «acropoli»? Ché nessuno potrà negare che i due valori possano essere attribuiti indifferentemente alle due menzioni, e con ciò si crea incertezza di comprensione — quasi una voluta ambiguità — in un passo che invece vuol essere perspicuo nel segnare l'evoluzione di un sito la cui topografia poteva anche non essere notissima a tutti i lettori[18].

Che si tratti invece dello stesso significato in entrambe le ricorrenze mi pare la conclusione più naturale, forse la sola possibile: e quel che ne deriva di conseguenza è il configurarsi di una contrapposizione implicita attraverso la presenza dell'avverbio νῦν, non — per quel che pare — fra diverse cinte murarie, ma fra «la città di ora» (νῦν) e la «città di prima», che si identifica evidentemente con la città della proposizione che immediatamente precede, ossia la città fondata da Antifemo ed Entimo che prese il nome dal fiume Gela. Dunque Gela era una città con caratteristiche diverse all'epoca di Tucidide rispetto all'epoca precedente; ma che cosa ne segnava la differenza? Fermo restando ovviamente che *polis* non può che avere sempre lo stesso significato, l'uso del termine χωρίον per indicare il secondo stadio vale senz'altro come un connotato di diversa configurazione rispetto all'epoca precedente; ed è il primo punto che, in proposito, val la pena di rilevare nella definizione dei due stadi con cui Tucidide vuol caratterizzare il profilo urbanistico di Gela.

Il termine χωρίον è un diminutivo, e, anche se questo valore non è sempre presente nell'uso del termine, per lo meno esplicitamente, esso si conserva e si manifesta in realtà quando serve a qualificare uno spazio non necessariamente piccolo, ma certamente ben determinato e delimitato rispetto a un'area di riferimento di senso e contenuto più ampi[19]. Ed è questo il valore che sembra proprio ricorrere nel nostro testo nel rapporto fra la città quando fu fondata e quindi prese il nome di Gela, e la città che occupa un'area ben delimitata (χωρίον), al tempo di Tucidide, e si chiama Lindioi. Il suggerimento più verosimile che se ne ricava è che la città di Gela fosse un po' «compressa» ai tempi di Tucidide, e che comunque non fosse in fase di floridezza e di espansione. Peraltro, che con Lindioi si definisca uno spazio compreso nell'area che appartiene alla città di Gela, non par dubbio in genere; e Lindioi difficilmente può essere altro che la stessa *polis* di Gela in un momento poco fortunato della sua storia, se altrettanto difficilmente può identificarsi con una parte della *polis* stessa, per definizione oltreché per i motivi già esposti; peraltro, vale nello stesso senso un'osservazione, che cioè non so quanto, poniamo, l'acropoli della città potesse trovarsi in un sito determinato solo (νῦν) ai tempi di Tucidide e altrove in età precedente. Pare poco ragionevole pensarlo, essendone presupposto la natura stessa dei luoghi; eppure sarebbe consequenziale se χωρίον si intendesse in quel senso.

Siamo ora al secondo punto che può servire a caratterizzare i due stadi che Tucidide sembra aver presenti nell'evoluzione urbanistica di Gela: esso è costituito dalla menzione delle mura. La chiave di tutto sembra risiedere nell'avverbio temporale πρῶτον: può significare ovviamente «per primo», ma può significare anche «in precedenza»: la prima interpretazione si scontra tuttavia, evidentemente, con le riserve già formulate riguardo all'ipotesi di una contrapposizione fra due cinte murarie — quelle costruite per prime e quelle costruite dopo: e in ogni caso, si creerebbe una contraddizione palese fra la «cittadella» com'è ora (νῦν) — e quindi come non era prima — e le fortificazioni costruite per prime (πρῶτον), e che non possono essere dell'età di Tucidide, ma devono essere di epoca anteriore.

Allora, in pratica, che cosa fortificavano queste mura prima di Tucidide se la ipotetica cittadella era dell'età di Tucidide? Ben più verosimile mi pare pertanto la seconda interpretazione, ossia che l'avverbio temporale serva a determinare una condizione precedente e non più in atto rispetto alla città come era al tempo di Tucidide, ossia diversa da quella che era prima (lo stesso valore, in sostanza, del πρῶτον... τειχισθεῖσα dello stesso Tucidide[20], a proposito di Decelea). Ossia, in sostanza, Gela — se il testo è da intendere come si è proposto — quando Tucidide scriveva era una città in qualche misura «ridimensionata» rispetto a prima, e priva delle fortificazioni[21].

Il confronto, che è d'obbligo, con Diodoro Siculo[22] appare senz'altro come una conferma di questa interpretazione della testimonianza tucididea: lo storico siciliano — la sua fonte, in realtà — espone le vicende dell'assedio cartaginese e della difesa dei Sicelioti distinguendo costantemente la *polis* dalla *chora*, la prima circondata da mura che la separano dalla seconda. È così che i Cartaginesi tagliano alberi nella *chora*, quindi attaccano e assediano le mura che impedivano l'accesso alla *polis* (προσβαλλόντων... καταβαλλόντων): i soldati di Gela nella *chora* attaccano i Cartaginesi e tutto si svolge al di là delle mura, a difesa delle mura, ecc.; la contrapposizione fra *polis* circondata da mura, e *chora* è un motivo scontato.

Ma quali sono queste mura, quelle di Lindioi o altre mura eventuali di una cinta più larga? Perché si possa prendere in considerazione questa seconda eventualità, è indispensabile supporre che πόλιν ἀνώχυρον del testo diodoreo[23] si riferisca a un'entità diversa rispetto a quella che identifica la *polis* in tutto il resto dell'esposizione, diversa cioè da quella nella cui *chora* si verificavano scontri e scaramucce fra Cartaginesi e soldati geloi. Ora, la constatazione semplice che nel contesto illustrato il termine *polis* identifica sempre la città le cui mura sono attaccate dai Cartaginesi e difese dai soldati geloi che si scontrano nella *chora* costituisce il limite di fondo di questa interpretazione, a prescindere da ogni altra considerazione: questo sarebbe l'unico caso in cui, nel medesimo contesto, senza che alcunché lo lasci supporre, lo stesso termine si riferisca a un'altra *polis*. Mi pare assolutamente da escludere: ci troveremmo di fronte al testo di un autore che non vuol farsi capire, che vuole essere ambiguo, quasi un cultore dell'enigma.

È difficile che un autore non voglia farsi capire, e in tal caso *polis* non poteva che indicare sempre la stessa realtà urbanistica: una stessa *polis* doveva essere quella ἀνώχυρον e quella che vedeva in più punti cadere le mura sotto i colpi degli assedianti, e queste mura che andavano cadendo dovevano essere le sole a difesa della città, ché, se ci fossero stati altri baluardi, nessuno l'avrebbe potuta definire ἀνώχυρον una volta che fossero state abbattute del tutto le mura[24]. Quindi sembra essere proprio una sola la cinta muraria che compare nell'età di Tucidide, e sono le stesse mura che i Cartaginesi abbattono nel 405 e che rendono la città ἀτείχιστος e ἀοίκετος[25].

Quale è la città che Tucidide «fotografa» nel suo *excursus* su Gela?, ci siamo chiesti apprestandoci a rileggere il passo tucidideo in chiave di storia urbanistica: ebbene, il senso effettivo delle sue parole mi par da cogliere nella contrapposizione fra la *polis* di liberi coloni che la fondarono e che la denominarono dal fiume Gela, e Lindioi, lo spazio cioè (χωρίον) che occupa la *polis* di Gela al tempo di Tucidide. Ossia, la *polis* di prima con le sue mura e la sua *chora*, e la *polis* di ora, di Tucidide, ἀτείχιστος e ἀοίκετος, priva di mura e di abitanti. Tucidide ha conosciuto la città senza mura (πρῶτον ἐτειχίσθη), senza la sua *chora* e con scarsa popolazione, come sappiamo da Diodoro (ll. cc.), prostrata e «ridimensionata» rispetto a quella di prima. Quella che egli ha presente è quindi Gela dopo l'assalto cartaginese del 405, quindi ha scritto dopo questa data, per logica conseguenza: è un punto in favore della concezione unitaria delle *Storie* di Tucidide, e la sua storia urbanistica di Gela è un capolavoro di perspicua concisione.

In effetti, di mura a difesa dell'acropoli son rimaste tracce significative; l'esecuzione sembra denotare una certa frettolosità e una tecnica piuttosto sommaria, ciò che ben potrebbe accordarsi con la descrizione diodorea che ci offre lo spettacolo drammatico di una cinta di mura che vien giù sotto gli attacchi cartaginesi, e che di notte una folla di gente cerca di tirar su con l'aiuto di donne e bambini. In ogni caso, molto più difficilmente si potrebbe pensare alla cinta di mura più esterne, di ben diversa ampiezza e consistenza per esser compatibili con il «quadro» diodoreo, ossia quelle di Capo Soprano: d'altra parte, per quel che pare più verosimile allo stato attuale, si tratta di fortificazioni di età timoleontea, quindi di parecchi decenni posteriori all'età di Tucidide, e di conseguenza estranee all'interpretazione tucididea della storia urbanistica di Gela[26].

3. Ancora uno spunto di riflessione offre Tucidide a chi ripensa alla storia di Gela, uno spunto che riguarda la fondazione della città. È una colonia «mista», come appare nel nostro *excursus*, opera dei coloni rodiesi di Antifemo e dei coloni cretesi di Entimo, quindi ὄχλοι σύμμικτοι, come diceva Alcibiade[27]; una notizia così formulata si segnala indubbiamente per la sua maggior precisione rispetto alla formulazione schematica di più comune diffusione, che si caratterizza generalmente nel rapporto di filiazione diretta fra metropoli e colonia, ossia fra *una* metropoli e la colonia. Maggior rilevanza assume questa constatazione se si pensa che tale notizia non rappresenta un fatto isolato nella *archaiologhia* tucididea: Zancle — ad es.[28] — fu fondata da Cuma, poi da Calcidesi ed Eubeesi, quindi da Samii ed altri Ioni e da σύμμικτοι condotti da Anassilao, a cui risale il nuovo nome della città, Messene. Lo stesso vale per Imera, colonia di Zancle[29], fondata da Euclide, Simos e Sacon, che potevano anche non essere, essi stessi, espressione di gruppi etnici diversi; ma il carattere «misto», dorico-calcidese, si coglie nel prevalere degli istituti calcidesi di fronte a una «fusione» dialettale in cui si afferma l'elemento dorico, miletide, di provenienza siracusana[30].

Tuttavia non so se, e quando, si possa cogliere una contrapposizione fra Tucidide e «gli alti» nell'intendere la storia della colonizzazione greca in Sicilia dal punto di vista del rapporto fra metropoli e colonia; è sintomatico, ad esempio, il caso di Naxos, che per Tucidide era una colonia di Calcidesi condotti da Teocle; ma invece, se-

condo Ellanico, un contemporaneo di Tucidide, che scrisse poco
prima di lui[31], Teocle «fondò città» in Sicilia alla testa di coloni calcidesi e naxii (appunto Naxos e poi Leontinoi). Se sia una tradizione
migliore, quella di Ellanico rispetto a quella di Tucidide, nessuno può
dire con qualche parvenza di serio fondamento; appare comunque
prudente tener per fermo che la storia della colonizzazione, nel v secolo, sembra rifuggire da una semplicistica schematizzazione del rapporto metropoli-colonia come «anagrafica» filiazione di una dall'altra, ciò che può valere semmai per più tarde elaborazioni.

La fondazione di Gela ci presenta il caso opposto rispetto a quello
di Naxos: Gela è colonia «mista» per Tucidide, fondata da Rodii e da
Cretesi; ma in Erodoto[32] leggiamo che un antenato di Gelone proveniva dall'isola di Telos, e che fu della partita quando i Lindii di Rodi e
di Antifemo fondarono Gela. La presenza dell'antenato di Gelone
può dare una connotazione di «misto» anche alla versione erodo-
tea, ma ha scarsa risonanza nella tradizione, come del resto la presenza dei Cretesi, insieme ai Rodii, nella versione tucididea; l'elemento comune è rappresentato dalla matrice rodia, cosicché, in
fondo, l'esistenza di *una* metropoli — quella che «bandisce» — può
anche non essere frutto di artificiosa semplificazione, ma di una
realtà, con una sua veste formale, indipendentemente dalla presenza
eventuale di gruppi etnici (minori, si suppone) che si siano aggiunti al
nucleo principale.

Nella storia della fondazione di Gela ci è dato forse di individuare
un modello in grado di rappresentare la genesi di tradizioni ecistiche
in senso «misto». In aggiunta al nucleo principale rodio, la componente dinomenide è in Erodoto, la componente cretese è in Tucidide, entrambe non inverosimili, anche se probabilmente legate ad
ambienti e momenti diversi, oltreché all'interesse diverso dei due storici, l'uno forse spinto dalla curiosità genealogica, l'altro ispirato da
una visione unitaria della storia di Gela e della sua colonia Agrigento. Ma ecco che si aggiunge una componente terea[33], con a
capo un tal Telemaco giunto in Sicilia nei primi decenni del VII secolo; di una componente peloponnesiaca parla quindi Artemone di
Pergamo[34]: colonia «mista» fu dunque Gela, ma le componenti etniche della sua fondazione, così come sono state tramandate, appaiono
più difficilmente riconducibili a una visione propria del rapporto metropoli-colonia da parte del singolo storico, che non al prevalere, di
volta in volta, dell'una o dell'altra componente etnica o dei suoi motivi propagandistici[35].

Accennavo a una visione unitaria della storia di Gela e della fondazione di Agrigento da parte di Tucidide; Agrigento fu una colonia geloa, dice lo storico ateniese, una «subcolonia», diciamo noi; gli ecisti furono Aristonoo e Pistilo, due, come i fondatori di Gela. Secondo Polibio invece[36], Agrigento fu colonia rodia, e quindi non una colonia «mista» — per quel che parrebbe; ma probabilmente non è così. Quale sia la genesi reale della fondazione di Agrigento è molto difficile dire, se cioè la presenza dei due ecisti nella versione tucididea rispecchi l'apporto di due componenti, una geloa — e quindi in buona parte rodia — e una direttamente rodia, secondo la versione polibiana (trascurando elementi di minore rilevanza); o se essi riproducano le due stesse componenti etniche che fondarono Gela, la rodia e la cretese, di Antifemo e di Entimo rispettivamente.

La prima potrebbe essere l'eventualità più verosimile perché appare meno «costruita» della seconda, oltreché per il contributo di Polibio; ma soprattutto è la «lettura» tucididea che mi pare rivelatrice. È colonia «mista» Gela, per esplicita attestazione, rodia e cretese, ma ha avuto istituzioni doriche (νόμιμα δὲ Δωρικὰ ἐτέθη αὐτοῖς), notazione che ha un senso in quanto indice del prevalere di una componente; di matrice geloa è la fondazione di Agrigento, due ancora di ecisti e geloe le istituzioni (νόμιμα δὲ τὰ Γελώιων δόντες), notazione del tutto superflua e inspiegabile se non ci fosse stato un nucleo di diversa provenienza nel movimento coloniale che approdò alla fondazione di Agrigento[37].

La chiave della «lettura» tucididea sembra allora da cogliere in una linea di continuità della storia di Gela nella storia della colonia agrigentina, attraverso la nota caratterizzante della loro fondazione: una interpretazione geniale indubbiamente, sia o no del tutto rispondente alla realtà.

MICHELE R. CATAUDELLA
docente di Storia Greca
all'Università di Firenze

Γέλας

# Introduzione

Questo libro non ha certo la pretesa di esaurire la trattazione delle problematiche storiche ed archeologiche dell'antica città di Gela, ma di fornire un contributo all'approfondimento delle tematiche scientifiche, specificatamente di quelle dell'ultimo trentennio.

Il lettore avrà modo di rendersi conto che gli scavi e le scoperte a Gela si sono succedute dall'inizio del nostro secolo con ritmo incessante e i risultati conseguiti da ognuno di essi sono stati presentati con rigore scientifico in sedi di convegni di livello nazionale e internazionale.

Ma se si escludono i volumi di P. Griffo - L. von Matt e di G. Fiorentini, editi rispettivamente nel 1963 e nel 1985, da tempo non vi erano state pubblicazioni specifiche di carattere complessivo che offrissero un quadro quanto più organico dei risultati acquisiti nel corso delle indagini archeologiche, attraverso i quali è stato possibile delineare sempre più in particolare il profilo storico e urbanistico della colonia rodio-cretese.

Questo volume ha lo scopo di presentare non solo i dati già conosciuti, ma anche quelli più recentemente emersi a seguito delle esplorazioni condotte in vari punti del territorio urbano ed extraurbano di Gela, molte delle quali sono state intraprese ad opera di chi scrive. Tutti i dati sono stati presentati sullo sfondo dell'analisi degli avvenimenti storici, che hanno contraddistinto nell'età greca e poi romana lo sviluppo di Gela e che in parte sono stati determinati da precisi fattori politici ed economici. A tale fine si è tenuto conto soprattutto delle notizie tramandate dagli autori antichi, le quali sono illuminanti e fondamentali anche per quanto attiene alla ricostruzione della organizzazione topografica dei complessi antichi della città.

Sulla scorta dell'esame dei materiali e dei manufatti importati dalle altre regioni della Grecia, indicativi degli stretti rapporti commerciali e culturali intrattenuti intensamente dalla colonia rodio-cretese, sono stati evidenziati gli aspetti del suo sviluppo economico ed artistico.

Potrà essere così notato che Gela ha avuto il ruolo di protagonista in molti degli eventi che hanno segnato la storia politica ed economica della Sicilia antica, risultando inoltre essa una delle più grandi e delle meglio organizzate tra le colonie greche siceliote sia sotto il profilo urbanistico che architettonico, riuscendo anche a contraddistinguersi in altri campi delle manifestazioni artistiche, grazie agli artigiani locali, la cui capacità produttiva, seppure influenzata dai modelli greci, seppe affermarsi autonomamente e realizzare dei manufatti così pregiati che nel tempo sostituirono gli oggetti importati.

Peraltro la città in determinati periodi della sua storia ha avuto uno sviluppo economico notevole, tale da permetterle di confrontarsi anche con le altre città e regioni della madrepatria e di essere inserita nelle rotte commerciali transmarine. A tale scopo è stata trattata in particolar modo la scoperta della nave greca arcaica, affondata davanti alle coste gelesi, che trasportava un carico commerciale molto vario, dal cui studio sono emersi elementi considerevoli per la ricostruzione dei rapporti che Gela intratteneva con le aree dell'Egeo. Da una di queste, e precisamente dalle isole Cicladi, furono importati i rivestimenti architettonici in marmo del tempio dorico costruito nei primi decenni del V sec. a.C., oggi in corso di scavo, che può essere considerato, per l'epoca alla quale appartiene, uno dei pochi esempi dell'architettura sacra della Sicilia di così pregiata e ricercata fattura.

Notazioni particolari sono state aggiunte per i periodi della preistoria e dell'età romana durante i quali, precedentemente, era stato evidenziato uno spopolamento della collina di Gela e del suo territorio; le nuove scoperte hanno invece potuto dimostrare che la zona, pur essendo mutate le condizioni di scelta delle allocazioni e dell'occupazione del suolo, rimase sempre abitata e addirittura durante l'età romana imperiale la stessa era entrata a fare parte dei latifondi senatorî, per cui si registra quindi una frequentazione continua e mai interrotta, proseguita ancora nel medioevo.

Mi auguro che, pur con i limiti imposti dalla trattazione di un lungo arco cronologico, il volume possa essere uno strumento di lettura facile e complessiva della storia e della ricerca archeologica dell'antica e grande città, presentata appositamente con il suo toponimo originario Γέλας, perché sono convinta che di quella la città odierna debba tornare a riconquistare l'aspetto e l'importanza.

ROSALBA PANVINI

# I.
# Profilo geologico del territorio gelese

Prima di trattare degli insediamenti umani dislocati nel territorio gelese è opportuno tracciare in breve il profilo della fisionomia geologica della regione perché ciò aiuterà meglio a comprendere le scelte insediative che si sono susseguite nel corso dei tempi.

Gela si trova al centro di un ampio golfo, che si affaccia sul Mare Mediterraneo e che si estende fra Capo Scaramia ad est e Licata ad ovest.

La città antica occupava la sommità di una collina di forma allungata, che corre parallelamente alla costa per 4 chilometri, con una larghezza massima di 600 metri e che si eleva per 54 metri sul livello del mare; nella parte orientale della collina emerge la propaggine di Molino a Vento, mentre le due punte avanzate di Capo Soprano e di Piano Notaro, con ripide e profonde scarpate, ne segnano il profilo occidentale (fig. 1).

Nella collina si distinguono due formazioni litostratigrafiche così meglio descrivibili dal basso verso l'alto: una prima di marne argillose grigio-verdi e marne argillose siltose di ambiente circolitorale-batiale; nella porzione superiore vi sono ghiaie, sabbie e calcareniti infralitorali. I sedimenti descritti sono pleistocenici.

Lungo il litorale si alzano le dune dei «macconi», formatesi con le sabbie trasportate dal vento dal Sahara, che proteggono le colture agricole, mentre attorno a Gela si estende una vasta pianura, attraversata da corsi d'acqua, nella quale abbondavano le coltivazioni di foraggi, legumi e di grano, famosi già nell'antichità: Eschilo nel suo epigramma funebre definiva quel territorio πυροφόρος; Amfide, in un brano riportato da Ateneo, esaltava le culture di legumi φακῆ, tipici della zona.

La parte più fertile della regione, donde già la colonia greca traeva le sue risorse agricole, è il γελῶον πεδίον, limitata ad est dal fiume

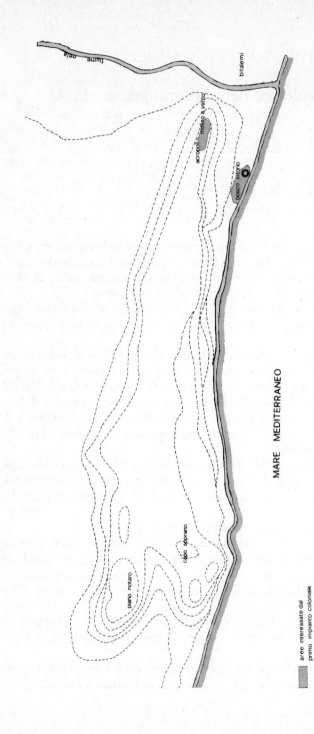

MARE MEDITERRANEO

aree interessate dal
primo impianto coloniale

Fig. 1

Gela, che dopo aver raccolto le acque dell'affluente Maroglio, sfocia ai piedi della collina, in prossimità della modesta altura sabbiosa di Bitalemi. È probabile che il Gela, prima della costruzione della diga Grotticelle, avesse un affluente ad ovest, ovvero descrivesse un'ansa nella pianura a nord della collina, che scorreva in senso est-ovest nella zona ai piedi dell'altura di Madonna dell'Alemanna; tale corso d'acqua, indicato in alcuni documenti cartografici del XVII e XVIII secolo, è ricordato anche dall'Amico e da altri storici e studiosi del secolo scorso[1] e costituiva un limite della stessa collina; ma di esso oggi non resta alcuna traccia.

Più ad est del Gela scorrono l'Acate e il Dirillo con l'affluente Ficuzza; ad ovest la pianura è chiusa dal fiume Salso, l'antico Imera, il cui corso, un tempo navigabile, è oggi di modesta portata. Piccoli torrenti, quali il Gattano, il Rizzuto e il Comunelli solcano la pianura nella quale emergono basse colline, non più alte di 350 metri sul livello del mare, che furono sedi privilegiate per l'insediamento umano; ad est, Monte della Guardia, preceduto dal Castelluccio, Monte Zai, Sabuci, Priolo, Settefarine, ultime propaggini dei Monti Erei; ad ovest, Monte dell'Apa e Poggio Rabbito, chiusi a nord dai Monti di S. Nicola e del Falcone; poi sempre ad ovest e lungo la costa, Monte Lungo e Manfria (fig. 2a)[2].

## Gli insediamenti umani dall'età neolitica all'età del bronzo antico

La notevole potenzialità produttiva della pianura, insieme alla presenza del fiume Gela favorì il popolamento del territorio fin dalla preistoria.

Le prime tracce di frequentazione umana a Gela risalgono alla fine del III millennio; prima di quel tempo la zona appare deserta e le poche testimonianze di vita del periodo neolitico sono attestate solo nel territorio circostante, sulle colline tra Monte Maio e Dessueri, dove sono stati rinvenuti una «pintadera» fittile decorata nello stile di Serra d'Alto, usata come timbro (fig. 3), e pochi frammenti di ceramica a decorazione tricromica dipinta.

Durante l'età del rame la collina di Gela diventò sede di stanziamenti capannicoli, dei quali non sono state individuate le strutture abitative, ma solo lembi delle relative necropoli, con tombe a pozzetto, chiuse da lastre litiche: alcune di esse sono state riportate

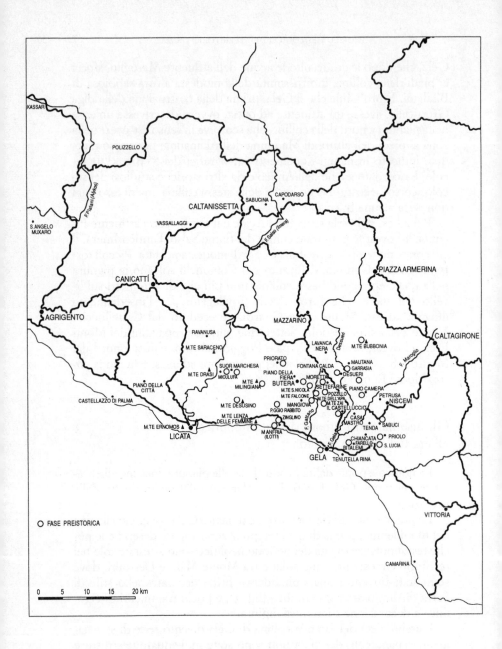

Fig. 2a

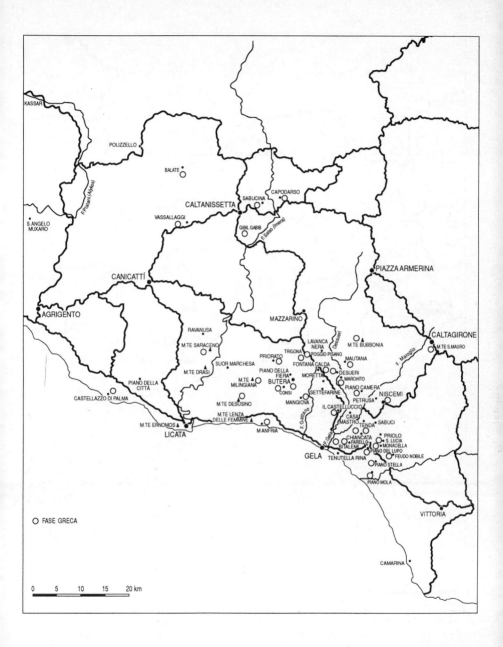

Fig. 2*b*

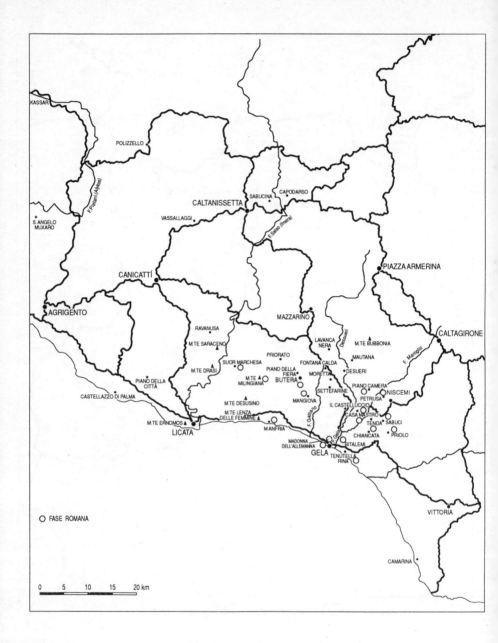

KASSAR

POLIZZELLO •

F. Platani (Alykos)

CALTANISSETTA • SABUCINA • CAPODARSO •

VASSALLAGGI •

S. ANGELO
MUXARO •

F. Salso (Imera)

PIAZZA ARMERINA •

CANICATTÍ •

AGRIGENTO •

CALTAGIRONE •

MAZZARINO •

RAVANUSA •

M.TE SARACENO ▲

LAVANCA
NERA •

M.TE BUBBONIA ▲

Dessueri

F. Maroglio

SUOR MARCHESA ○

PRIORATO •

MAUTANA •

M.TE DRASI ▲

PIANO DELLA
FIERA ▲

FONTANA CALDA •

DESUERI •

PIANO DELLA
CITTÀ •

M.TE
MILINGIANA ▲

BUTERA •

MORETTA •

PIANO CAMERA •

NISCEMI ○

CASTELLAZZO DI PALMA •

SETTEFARINE •

PETRUSA •

MANGIOVA ○

IL CASTELLUCCIO ○

CASA MASTRO •

M.TE DESUSINO ▲

F. Gattano

M.TE ERNOMOS ▲

M.TE LENZA
DELLE FEMMINE ▲

MANFRIA •

TENDA • SABUCI •

CHIANCATA •

PRIOLO ○

LICATA •

MADONNA
DELL'ALLEMANNA •

BITALEMI •

GELA •

TENUTELLA
RINA ○

VITTORIA •

CAMARINA •

○ FASE ROMANA

0   5   10   15   20 km

Fig. 2c

Fig. 3

alla luce nel Predio Iozza, a Piano Notaro[3] e a Molino a Vento[4].

I corredi ceramici delle sepolture di quest'ultima zona, costituiti da un fallo fittile e da scodelle carenate e orcioli ovoidali a superficie lucida nerastra decorati nello stile di S. Cono-Piano Notaro (2500-2300 a.C.) (fig. 4 *a, b, c, d*), erano collocati all'interno del pozzetto, accanto agli inumati rannicchiati.

Altri villaggi di tale *facies*, sorti per lo sfruttamento agricolo del suolo, esistevano nella pianura e i resti delle loro strutture sono stati scoperti recentemente in Contrada Almatella-Piano Camera[5].

Più densamente popolati appaiono il territorio gelese e la stessa collina durante l'età del bronzo antico (2100-1600 a.C.), in concomitanza con l'affermarsi nell'isola della cultura di Castelluccio. Numerosi villaggi sorsero allora in prossimità di fiumi e sorgenti, a controllo del territorio agricolo, lungo la costa e nella valle del Gela, ricca di fertilissimi e ben drenati terreni (fig. 2a): le colline di Settefa-

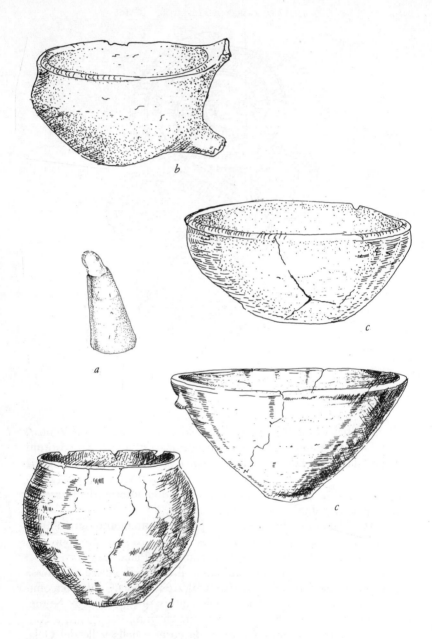

Fig. 4*a*, *b*, *c*, *d*

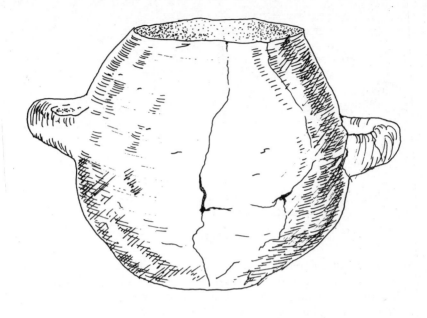

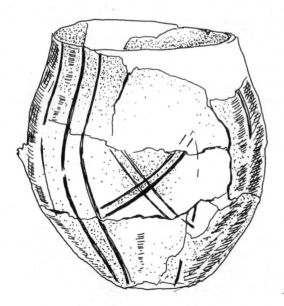

Fig. 5

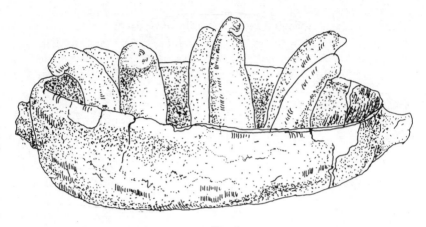

Fig. 6

rine, Pozzillo, Farello, Sabuci, Santa Lucia, Zinglinò, Monte Lenza delle Femmine, presso Falconara, Montelungo, vari punti della collina di Gela, compresa la zona di Molino a Vento furono occupati da villaggi capannicoli e da necropoli a grotticella artificiale scavata nella roccia[6]; fanno eccezione le tombe di Molino a Vento nella forma a pozzetto, di tipologia rara per il periodo al quale si datano, ma certamente realizzate in tale modo per la mancanza di banchi rocciosi e per la particolare morfologia del terreno[7].

Dalle capanne venute alla luce in tale zona, perimetrate da strutture murarie circolari di grosse pietre, provengono vasellami dipinti in bruno su fondo rosso, decorati nello stile di Castelluccio, e alcuni corni fittili apotropaici, sette dei quali erano contenuti dentro uno scodellone acromo, usato a scopi rituali (figg. 5-6).

Anche in altri punti della collina gelese, in prossimità della Piazza Calvario, tra le vie del quartiere Borgo e nel fondo La Paglia sono state riscontrate tracce di insediamenti castellucciani, la cui sussistenza derivava dalla pratica dell'attività agricola, proficuamente svolta insieme alla pesca e al commercio per mare.

Un ulteriore concentrazione di siti castellucciani si aveva nel territorio che chiude a nord la pianura, strategicamente importante perché di passaggio alla valle dell'Imera e nell'entroterra: le alture di Suor Marchesa, Milingiana, Priorato, Monte Desusino[8] e Muculufa nel territorio di Butera[9], Garrasia, presso il fiume Dessueri, pullulavano di abitati e necropoli a grotticelle (fig. 2a).

L'organizzazione di un insediamento di tale periodo è stata resa evidente grazie allo scavo di un intero villaggio, l'unico in tutta l'isola, riportato alla luce negli anni sessanta da Piero Orlandini a Manfria, ad ovest di Gela, sul declivio di una collina rivolto verso il mare e la pianura e protetto da una cortina di costoni rocciosi sfruttati per l'impianto delle necropoli, le cui tombe, del tipo a grotticella artificiale aperta nella roccia, sono risultate in gran parte violate da tempo immemorabile[10]; diverse sepolture ancora non profanate, sono state scavate negli anni scorsi e hanno restituito ricchi ed interessanti corredi ceramici nello stile di Castelluccio, associati a materiali della *facies* di Tindari-Rodì-Vallelunga[11]. Particolare risulta la tipologia di queste tombe a grotticella scavate sulla collina localmente chiamata I Lotti: esse hanno il prospetto monumentale dal quale sporgono lesene o pilastri, talvolta hanno ingressi definiti da stipiti monolitici e sono preceduti da ampi vestiboli ricavati nella roccia, ad imitazione di prototipi maltesi comprovanti i rapporti esistenti tra Gela e la piccola isola del Mediterraneo.

Del villaggio di Manfria, esteso su un'area di mq 3000 e con una popolazione di circa 50 unità, facevano parte nove capanne a pianta quasi ellissoidale, realizzate nel banco gessoso, idoneo ad ospitare i pali di legno dell'orditura dell'elevato di forma conica (fig. 7). Una delle capanne aveva una fila di pali centrali per sostenere il tetto a schiena d'asino e la capanna n. 3 presentava tre nicchie semicircolari sui lati, che articolavano in maniera particolare lo spazio interno.

Gli abitanti del villaggio basavano la loro economia sull'agricoltura e sull'allevamento di bovini, di caprini e di suini; ma doveva essere praticata anche l'attività di scambio transmarino, documentata dalla scoperta di frammenti ceramici d'importazione maltese della *facies* di Tarxien.

Il materiale fittile ritrovato nelle capanne, con ricco e vario repertorio di forme vascolari, rientra nella *facies* di Castelluccio, per la tipica e varia decorazione di motivi lineari dipinti in bruno su fondo ingobbiato color rosso; tra le forme prevalgono i bacini del tipo a fruttiera, le ciotole monoansate, i bicchieri attingitoio, i vasi a clessidra, i bacini triansati su piede tubolare (fig. 8 *a*, *b*, *c*). Tra gli strumenti litici figurano coltellini, raschiatoi e punteruoli, alcuni dei quali anche in osso.

Particolari sono due alari del tipo ginecomorfo, probabilmente usati come fornelli portatili (fig. 9), ed inoltre i corni rituali usati a

Fig. 7

SAGGIO N° 8

SCARICHI

SAGGIO N° 10

SAGGIO N° 6

SAGGIO N° 17

N

SAGGIO N° 3

M

N

 6

 7

L

2° GRUPPO DI CAPANNE

0    5    10    15    20 m

 5

 4

 8

 I

9

 3

2

1° GRUPPO
DI CAPANNE

1

 A

G

 C

FOCOLARI

D

 E   F

H

 B

NECROPOLI

SAGGIO N° 9

Fig. 8a, b, c

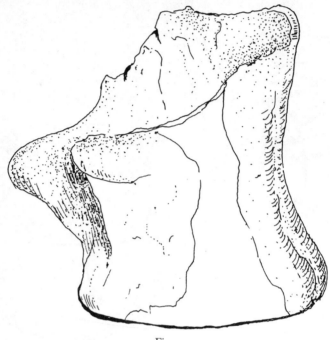

Fig. 9

scopo apotropaico e due idoletti dipinti con motivi cruciformi in nero, che sono da considerare rari esemplari di un primordiale tentativo di rendimento di immagini di culto, a conferma anche di pratiche religiose svolte nel villaggio.

Tale sito continuò ad essere frequentato, seppure in maniera meno intensa, anche nell'età succesiva, quando forse fu utilizzato come scalo commerciale, perché nell'area sono stati rinvenuti pochi frammenti di vasi della cultura di Thapsos; esso costituisce l'unica testimonianza insediamentale per il periodo compreso tra il XV e il XIV secolo a.C., poiché sia la collina di Gela, che il territorio circostante sembrano spopolarsi, essendo venuta meno la richiesta dei prodotti cerealicoli, che avevano costituito la base dell'economia del periodo precedente.

Infatti, la ricerca di nuovi beni di consumo, quali il sale, l'allume e lo zolfo, avevano determinato una concentrazione demografica in altre parti dell'isola e per quel tempo si registra la presenza di siti umani soprattutto lungo la fascia costiera e in alcune zone dell'entroterra, che, così come quello di Milena, nella Valle del Platani (Alykos), entrarono in contatto, a scopi commerciali, con le popolazioni dell'Egeo[12].

## Il territorio gelese tra bronzo recente e bronzo finale e nel periodo antecedente alla colonizzazione greca

La collina di Gela rimase disabitata ancora durante l'età del bronzo recente e finale e anche nel suo territorio non sono stati riscontrati fino ad oggi resti di insediamenti umani. I gruppi sicani si concentrarono, invece, sulle alture a nord-est di Gela, nella zona di Dessueri dove emergono il Monte Canalotti, il Monte Dessueri e la Fastucheria, sovrastanti la fertile pianura e che, proprio per la loro particolare posizione geografica, potevano offrire condizioni ottimali per l'impianto di insediamenti sicuri e facilmente difendibili in caso di pericolo e di invasioni di altre popolazioni, le quali, proprio in quei secoli (XII-X), cominciavano a giungere dalla penisola.

Dalle montagne di Dessueri, ubicate sulle rive orografiche dell'omonimo fiume, e distanti pochi chilometri dal mare, potevano essere controllati i territori agricoli e le vie di comunicazione commerciale, soprattutto quelle che si inoltravano all'interno della Sicilia.

La densità demografica dell'agglomerato abitativo è testimoniata dalle migliaia di tombe a grotticella artificiale, aperte sulle pendici delle alture, che sono state in parte censite e scavate da Paolo Orsi all'inizio del secolo[13], e delle quali solo da pochi anni è stata ripresa l'esplorazione sistematica, insieme ad un abitato posto su una collina localmente chiamata Monte Maio[14].

Nella necropoli si contano oltre 3500 tombe a camera (tav. 1), precedute dal *dromos* e dal vestibolo, che ospitavano da due a tre inumati (fig. 10); da un primo calcolo generazionale è stato possibile ipotizzare che nei relativi villaggi abitassero almeno tremila individui dediti all'agricoltura e alla pastorizia, ma padroni anche delle tecniche della lavorazione del bronzo, le cui riserve erano possedute da esponenti egemoni del gruppo. A due di questi molto probabilmente appartenevano i due anelli aurei ritrovati nei pertinenti corredi (T. Fastucheria 79 e T. 102) e sicuramente d'importazione micenea.

Proprio i ricchi corredi ceramici, tra le cui forme si annoverano le brocche cuoriformi, le *hydriai* quadriansate, le teiere con il becco a

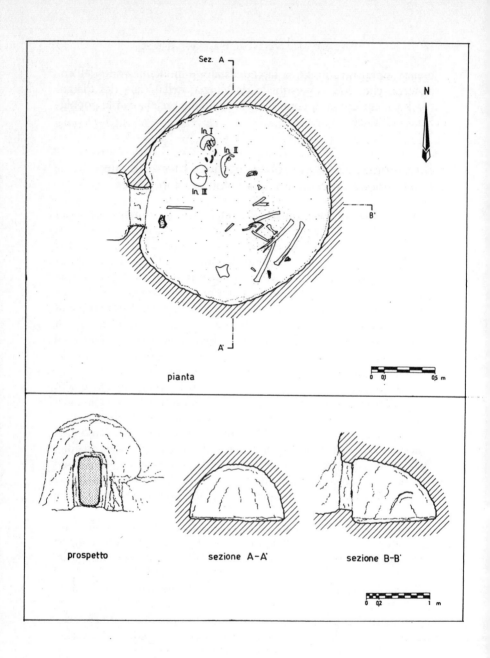

Sez. A

N

In. I

In. II

In. III

B'

A'

pianta

0    0,1                    0,5 m

prospetto

sezione A-A'

sezione B-B'

0   0,2                    1 m

Fig. 10
Tomba n. 13

crivello, i bacini su piede a tromba, le olle a superficie stralucida marrone o nerastra, e gli oggetti bronzei, quali le fibule ad arco semplice, con o senza noduli, i rasoi a lama quadrangolare, consentono di fissare la cronologia delle prime fasi di uso dei complessi di Dessueri al XII-XI secolo a.C. (tav. 2)[15].

I dati archeologici emersi nel corso delle ricerche hanno fornito un quadro alquanto preciso delle successive fasi di vita di questo insediamento, abitato da gruppi sicani, che ben presto però entrarono in contatto con le popolazioni italiche, giunte a diverse ondate in Sicilia e con le quali sembra che, almeno in questa zona, finirono con l'integrarsi.

Il sito risulta più intensamente abitato tra il X e il IX secolo a.C. e molte sono, infatti, le tombe riferibili a questo periodo, vista l'abbondante presenza di ceramiche con decorazione cosiddetta piumata e i bronzi della *facies* di Cassibile restituiti dai corredi; ma esso continuò ad essere abitato ancora fino al VII secolo a.C., allorché, così come altri siti indigeni posti sulle alture circostanti la pianura gelese, dovette essere sopraffatto dai Rodio-Cretesi perché rappresentava un forte ostacolo alla loro marcia espansionistica verso l'interno dell'isola.

Fino al momento dell'arrivo dei coloni greci le comunità indigene di quest'area della Sicilia, stanziatesi anche sulla collina di Butera[16], rimasero estranee alla gestione dei traffici transmarini e vissero dedicandosi esclusivamente all'agricoltura e alla pastorizia, mantenendo però rapporti con gli altri centri della Sicilia orientale e occidentale, come prova la scoperta fatta nelle loro necropoli di materiali a decorazione impressa nello stile di Sant'Angelo Muxaro-Polizzello e di ceramiche e bronzi dell'orizzonte culturale di Pantalica Sud[17].

La fascia costiera, invece, tornò ad essere abitata solo alla fine dell'VIII secolo a.C. quando gruppi di protocoloni greci cominciarono ad arrivare e ad occupare la zona nella quale successivamente sorse Γέλας.

## II.
# La fondazione di Gela attraverso le fonti

Nel periodo antecedente alla fondazione delle colonie greche la Sicilia aveva rivestito un ruolo importante nelle rotte commerciali e i suoi approdi costieri, tra il XV-XIV secolo a.C., erano stati frequentati dalle popolazioni egee e anche da quelle maltesi.

Ma i rapporti tra la Sicilia e l'area egea sembrano interrompersi bruscamente dopo il XIII secolo a.C., forse a causa degli eventi verificatisi per la caduta dei regni micenei e per i consequenziali nuovi equilibri politici stabilitisi nel Mediterraneo.

Solo a partire dall'VIII secolo a.C. si comincia a registrare la presenza dei primi insediamenti di coloni greci, che non sembrano comunque tenere conto dei siti occupati dai precedenti nuclei di gente proveniente dall'Egeo, anche perché le nuove scelte insediamentali furono evidentemente condizionate, oltre che da fattori politici, sociali e commerciali, soprattutto da forme di stanziamento stabile e non provvisorio, come poteva, invece, essere stato uno scalo o un approdo[1].

Si può evidenziare generalmente nella scelta del sito da parte dei coloni greci un certo costante condizionamento ambientale, che li indusse a porre le sedi delle *poleis* su alture prossime alla costa, marginate da corsi fluviali, con pianure circostanti e insenature costiere per ubicarvi gli approdi o i porti.

Quando i Rodio-Cretesi giunsero in Sicilia, gran parte del suo territorio era già stato occupato dai Calcidesi, dai Megaresi e dai Corinzi, che, a partire dalla seconda metà dell'VIII secolo a.C., avevano preso saldo possesso della fascia orientale dell'isola, dove erano state fondate grandi colonie: Naxos, Zancle, Catania, Leontini, Megara Iblea e Siracusa.

Diverse fonti ricordano la fondazione di Gela, avvenuta secondo la cronologia di Tucidide nel 689-688 a.C., ad opera di coloni di Rodi e di

Creta, che vi giunsero quarantacinque anni dopo la fondazione di Siracusa; lo stesso storico ateniese, anzi, ci informa che i Rodii guidati da Antifemo e i Cretesi da Entimo, fondarono insieme la città che prese il nome dal vicino fiume[2], adottarono una legislazione dorica e che «il luogo dove ora è la città e che per primo fu cinto da mura si chiama Lindioi».

La cronologia tucididea è confermata da Erodoto[3] e da Eusebio[4], mentre Girolamo riporta la data del 691 a.C.[5].

I nomi dei due ecisti sono segnalati da Diodoro per un episodio particolare legato al responso della Pizia, la quale avrebbe loro ordinato di recarsi in Sicilia e di fondare una colonia mista di Rodii e Cretesi, alla foce del fiume Gela[6]. La profezia dell'oracolo delfico è riferita anche da Aristeneto[7] e da Filostefano di Cirene[8], mentre Artemone di Pergamo accenna ad un contingente di coloni venuti dal Peloponneso insieme ai due ecisti; tale notizia, decisamente smentita da Menecrate[9], non trova riscontro neanche in altre fonti.

Erodoto accenna solo alla presenza di Rodii e di Antifemo, il cui nome è riportato anche dall'*Etymologicum Magnum*[10] e dalla *Cronaca del tempio lindio*, composta nel 100 a.C., la quale riferisce erroneamente che Dinomene, padre di Gelone, era giunto insieme all'ecista[11]; ma evidentemente si trattava di un antenato del tiranno, omonimo del suo genitore.

In genere la tradizione antica è concorde nell'affermare la provenienza dei coloni dalle due isole e Tucidide annovera Gela tra le colonie doriche. Probabilmente c'era stata una prevalenza di nuclei etnici rodii, emigrati in conseguenza di lotte civili[12], che, in ricordo di Lindos, avevano chiamato Lindioi il luogo dove per primo approdarono.

Sembrerebbe che anche piccoli nuclei di altri Dori si fossero uniti alla spedizione guidata da Antifemo e da Entimo, poiché Erodoto accenna all'antenato di Gelone, giunto insieme ai due ecisti ed originario di Telo[13].

Per quanto riguarda il nome della città, la maggior parte degli autori antichi concorda nel riferire che esso derivò dal vicino omonimo fiume; Stefano di Bisanzio anzi fornisce una spiegazione etimologica del termine, che, nella lingua degli Opici e dei Siculi, stava a significare «gelo» o «ghiaccio»[14]; ma altri autori lo indicano come derivante dal verbo greco γελᾶν (ridere), perché Antifemo, sentitosi inaspettatamente ordinare dalla Pizia di recarsi in occidente, era scoppiato a ridere[15].

Dalle fonti non ricaviamo dati utili sulla storia della colonia per il periodo immediatamente successivo alla sua fondazione e sul disegno politico avviato dai Rodio-Cretesi per estendere i loro domini; quest'ultimo può essere seguito sulla scorta dei dati ottenuti dalla ricerca archeologica, che indicano due differenti percorsi di penetrazione, uno attraverso la zona delle valli fluviali del Gela, del Maroglio, dell'Imera e del Platani (Alykos), l'altro lungo la fascia costiera, fino a fondare ad occidente Akragas (Ἀκράγας) (580 a.C.), diventata nel corso dei secoli così potente da superare perfino la stessa colonia madre[16].

## L'occupazione e l'organizzazione della colonia.
## I primi monumenti sacri

Grazie alle scoperte fatte sulla collina di Gela è stato possibile ricostruire i modi e i tempi in cui venne articolata l'occupazione del sito e il suo sviluppo monumentale ed urbanistico.

Lo stanziamento rodio-cretese fu posto fin dall'inizio nella zona di Molino a Vento, già sede di abitati preistorici e da lungo tempo ormai abbandonata.

Il ritrovamento di ceramiche del protocorinzio antico di tipo geometrico e del tardo geometrico rodio negli strati di Molino a Vento, immediatamente al di sotto dei livelli di uso arcaici, attesta una fase di frequentazione del sito durante gli ultimi decenni dell'VIII secolo a.C., prima dell'impianto vero e proprio dell'insediamento coloniale, come peraltro il Wentker aveva evidenziato sulla base dei dati indicati nel brano di Tucidide[17].

Giunti nel sito i primi coloni realizzarono piccoli edifici in mattoni crudi, che rimasero poi sepolti sotto le fondazioni di strutture posteriori. Nei livelli relativi a questa prima occupazione sono state raccolte ceramiche con decorazione lineare o geometrica dipinta in bruno e rosso cupo, talvolta con motivi a «S» o file di uccelli nella fascia sotto l'orlo (tav. 3a)[18], riconducibili in qualche caso a fabbriche rodie[19] e confrontabili con materiali simili di Perachora e Corinto e di altre località della Sicilia, dove compaiono negli ultimi decenni dell'VIII secolo a.C.

La frequentazione di protocoloni Lindioi sarebbe anche confermata dalla scoperta nella necropoli di Contrada Spina Santa, nella pianura ad est del Gela, di un *aryballos* protocorinzio protovoidale del

700 a.C. (tav. 3*b*)[20] e dal recupero, nell'area degli attuali Giardini Pubblici, di un'anfora cineraria tardo-geometrica (tav. 3*c*), in gran parte distrutta da successive deposizioni in *pithoi* e sarcofagi[21].

I primi coloni avrebbero, quindi, occupato in nuclei sparsi il territorio di Gela e solo dopo la *ktisis* comune di Rodii e di Cretesi si sarebbe verificata una concentrazione nella zona orientale della collina, a Molino a Vento, che diventò, anche per la sua posizione, la sede dell'acropoli.

L'organizzazione del primo impianto urbano e delle aree esterne alla città ebbe fin dall'inizio una configurazione ben precisa che, pur arricchendosi nei periodi seguenti di altri complessi, restò sempre pressoché uguale.

A Molino a Vento, già dalla prima metà del VII secolo a.C., furono costruiti alcuni edifici, in buona parte con destinazione cultuale. Tra questi vi era un sacello *in antis*, cioè privo di peristasi, con la fronte su un lato corto, aperta e compresa tra le ante e con muri di blocchi e pietrame (Tempio A; fig. 11); esso fu individuato dall'Orsi, è confrontabile con i tipi simili e coevi di Naxos e di Himera, ed era dedicato, come l'altro che lo sostituì nel VI secolo a.C. (Tempio B), ad Athena[22].

Il culto della dea è stato suggerito dalla scoperta, in prossimità del lato orientale del Tempio B, dell'orlo di un *pithos* riportante l'iscrizione Ἀθεναίας, e di una stipe con materiale molto antico, del VII-VI secolo a.C., ricca di elementi residui di decorazioni architettoniche, di terracotte, alcune femminili di tipo rodio, tra le quali spiccavano una testa di civetta, di produzione locale e una testina femminile dal modellato morbido, attribuibile ad officine samie (tav. 4*a*)[23].

Athena Lindia era la divinità venerata a Rodi, ma a Gela assunse, oltre al carattere di dea pacifica e protettrice della natura, anche un aspetto bellicoso, forse in relazione alle guerre combattute dai coloni contro le popolazioni indigene; ciò spiegherebbe l'offerta, nel corso del VII secolo a.C., di pugnali e lance ritrovati nel settore settentrionale dell'acropoli in una stipe ricca di ceramiche, armi e statuette fittili di fabbrica rodia, ed alcune di tipo dedalico[24].

Un simile aspetto bellicoso era pure riconosciuto alla dea di Gortina, protettrice anche della natura[25].

Altri sacelli, gli edifici I e II, erano dislocati nel settore settentrionale dell'acropoli ed avevano orientamento est-ovest, quasi dettato dalla dorsale che corre in tal senso sul pianoro della collina[26].

Il primo edificio (m 9,50 × m 4,50), con muri in pietrelle e ciottoli di fiume, si conserva a livello delle fondazioni impostate sugli strati di

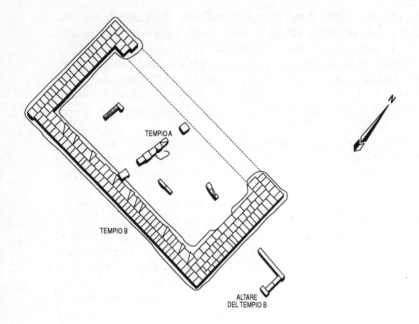

TEMPIO A

TEMPIO B

ALTARE
DEL TEMPIO B

N

TEMPIO C

Fig. 11

frequentazione più antica: è a pianta rettangolare, tripartito ed accessibile da ingressi posti sul lato lungo meridionale; l'area al suo esterno era stata acciottolata e utilizzata per riti sacrificali (fig. 12).

Del secondo edificio, posto sul margine orientale della collina, e sconvolto dall'impianto di ambienti successivi, resta solo un vano quadrato con strutture in pietra calcarea (fig. 13). La datazione dei due ambienti è suggerita dai materiali ceramici del protocorinzio antico e medio e da alcuni frammenti di importazione cretese, che giacevano a contatto del loro battuto.

Da quanto si è avuto modo di notare nel corso degli scavi archeologici risulta che la zona orientale della collina aveva assunto prevalentemente già dal VII secolo a.C. una destinazione cultuale, mentre i quartieri abitativi dovevano estendersi sulla piattaforma centrale della collina medesima, anche nell'area dell'attuale centro storico, come del resto provano i recenti rinvenimenti di materiali ceramici e di residue strutture murarie all'esterno dell'ex Ospedale militare (via S. Damagio); ma l'impianto abitativo greco fu obliterato poi dalla città medievale, impostatasi al di sopra di esso[26] (fig. 14).

Un'altra area sacra inoltre cominciò ad essere frequentata all'interno del perimetro delle mura, più ad ovest dell'acropoli; era sulla piattaforma esposta verso il mare, dove oggi sorge il Municipio ed era dedicata ad Era (fig. 14).

Il nome della dea è riportato in due iscrizioni graffite sul fondo di vasi votivi, ma il culto in quella zona risale alla prima metà del VII secolo a.C., come suggerisce la scoperta di ceramica protocorinzia, e dovette essere importato a Gela dai Rodii di Lindos, i quali in origine provenivano da Argo, dove esisteva uno dei più grandi santuari di Era[27].

Il limite della città sul lato ovest era segnato dalla strozzatura del Vallone Pasqualello, al di là del quale, lontano dal centro urbano, nelle attuali via Dalmazia[28] e via Bonanno[29], erano poste le fornaci per la produzione locale di ceramiche e di oggetti fittili (fig. 15). Anche se non si hanno documentazioni archeologiche precise, è probabile che l'agora, della quale parla Diodoro, possa essere localizzata sotto l'attuale Piazza della Cattedrale.

Alle necropoli furono destinate le aree più occidentali della collina, fuori dalla cinta muraria, che sono state individuate negli attuali quartiere Borgo, predio La Paglia e Villa Garibaldi[30] (fig. 15).

Un'altra necropoli si trovava lontano da Gela, ad est del fiume, in Contrada Spina Santa[31].

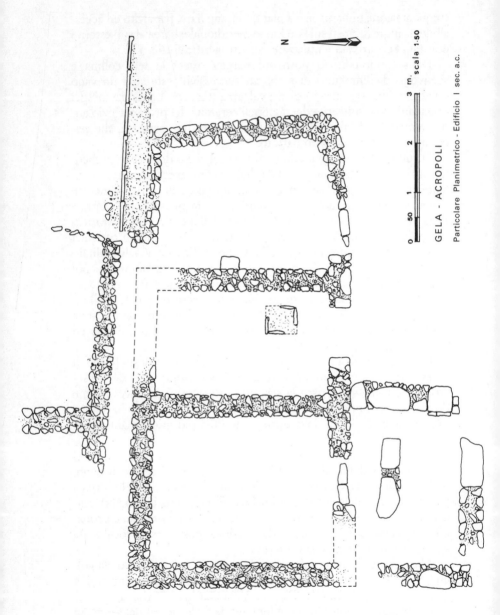

GELA - ACROPOLI

Particolare Planimetrico - Edificio I sec. a.c.

Fig. 12

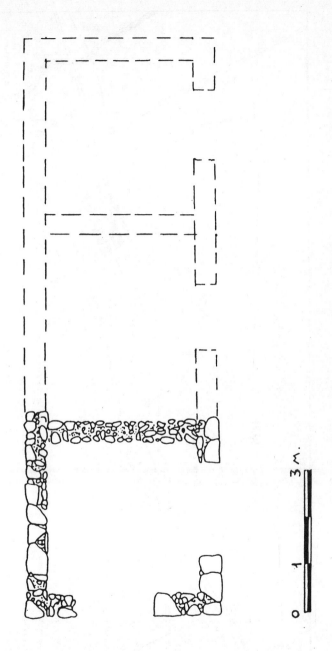

Fig. 13

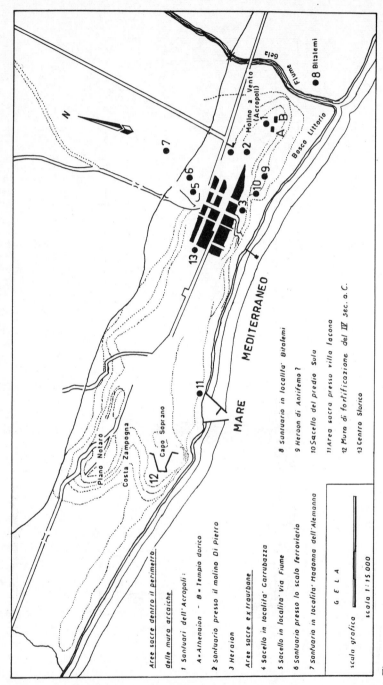

Aree sacre dentro il perimetro

delle mura arcaiche

1 Santuari dell'Acropoli:
  A=Athenaion – B=Tempio dorico
2 Santuario presso il molino Di Pietro
3 Heraion

Aree sacre extraurbane

4 Sacello in località Carrubazza
5 Sacello in località Via Fiume
6 Santuario presso lo scalo ferroviario
7 Santuario in località Madonna dell'Alemanna

8 Santuario in località Bitalemi
9 Heraon di Antifemo?
10 Sacello del predio Sola
11 Area sacra presso villa Iacona
12 Mura di fortificazione del IV sec. a.C.
13 Centro Storico

G E L A

scala grafica

scala 1 : 15.000

Fig. 14

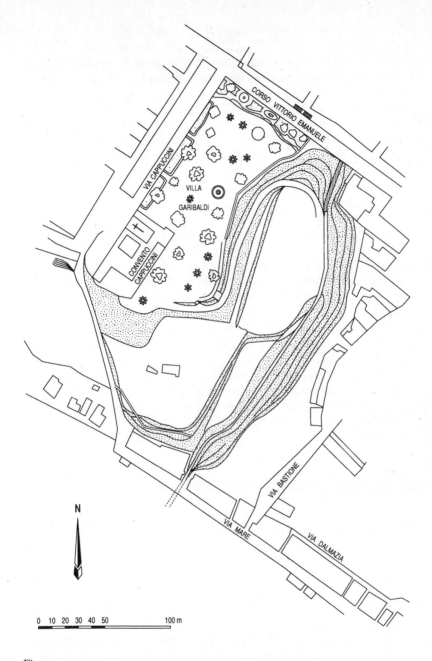

Fig. 15

Fuori dal perimetro della cinta di fortificazione cominciarono ad essere frequentati, già dalla metà del VII secolo a.C., due luoghi di culto, che più tardi si arricchirono di complessi monumentali: il primo era posto sulla collinetta di Bitalemi, vicino alla foce del fiume[32] (fig. 14); l'altro sorse a Predio Sola[33], sulle pendici meridionali della collina, a sud-est della «Torre Federiciana» (fig. 14), dove le cerimonie inizialmente erano svolte all'aperto, come testimoniano le offerte votive raccolte in una stipe contenente statuette fittili femminili di tipo tardo e sub-geometrico, lucerne fittili e due *aryballoi* del tardo protocorinzio. I due santuari erano dedicati alle divinità ctonie, il cui culto fu importato dagli antenati di Gelone, provenienti da Telos — dove vi era pure un santuario di Demetra e Kore — e ai quali spettava per diritto ereditario la carica di sacerdoti delle due dee; tale culto si era diffuso poi nell'entroterra e nella Sicilia centro-meridionale e anche dopo il suo trasferimento a Siracusa Gelone mantenne quella carica sacerdotale e fece costruire in quella città nuovi santuari ctonii.

Nella pianura erano distribuite le fattorie e i complessi rurali con le relative necropoli, delle quali restano tracce nelle contrade Feudo Nobile, Farello, Santa Lucia e Spina Santa[34] (fig. 2*b*). Ciò dimostra che fin dal momento della fondazione della città si era posto il problema dell'assegnazione di lotti coltivabili ai coloni, per lo sfruttamento intensivo del suolo; ma su questo argomento torneremo in seguito, quando tratteremo dell'insediamento di Contrada Piano Camera.

## Il territorio

La necessità dei coloni rodio-cretesi di assicurarsi un vasto territorio da cui trarre principalmente le risorse economiche dovette senza dubbio imporre l'esigenza di occupare la pianura attorno alla città, dove si estendevano i ben noti «campi geloi». Certamente questo progetto comportava lo scontro con le popolazioni indigene, le quali, come abbiamo visto nel capitolo precedente, abitavano sulle alture circostanti, dalle quali potevano essere controllate le vie di penetrazione militare e commerciale.

Pausania ed Erodoto nelle loro opere hanno lasciato il ricordo di avvenimenti particolari in cui si fa cenno a centri indigeni, sicani e siculi, che ancora esistevano nelle vicinanze di Gela al momento dell'arrivo dei Rodio-Cretesi: due di questi, Omphake e Maktorion, dovettero opporre una forte resistenza all'avanzata dei Greci.

Il primo centro, secondo Pausania[35], fu saccheggiato da Antifemo, che portò via da lì una statua di Dedalo.

A Maktorion, invece, aveva trovato rifugio la plebe geloa oppressa dai *Gamóroi*, che fu ricondotta a Gela, secondo Erodoto, da Teline, un antenato di Gelone, sacerdote di Demetra e Kore[36].

Le *Cronache Lindie*[37] menzionano il centro indigeno di Ariaiton a proposito di un grande cratere ἀκροθίνιον ἐξ Ἀρίαιτου dedicato dai Geloi ad Athena Lindia nel VII secolo a.C., a seguito, pare, della sua conquista.

Omphake è stato identificata sulla collina di Butera, a nord di Gela[38], dove Dinu Adamesteanu ha condotto tra il 1951 e il 1954 fruttuose campagne di scavo nelle necropoli di Piano della Fiera, all'esterno del moderno paese; le numerosissime tombe, oggi non più esistenti, stratificate su tre livelli, attestano una frequentazione della zona dal IX al IV secolo a.C.[39].

Soprattutto le sepolture del primo strato, ad inumazione entro grotticelle, conservavano corredi ceramici e bronzei databili dalla fine del IX agli inizi del VII secolo a.C., tipologicamente rientranti negli orizzonti culturali di S. Angelo Muxaro-Polizzello (fig. 16 *a, b, c*) e Pantalica Sud — cioè delle contemporanee culture indigene della Sicilia occidentale e orientale — e, pertanto, riferibili ad un abitato sicano non ancora ellenizzato.

Il contatto tra le popolazioni indigene e greche dovette avvenire solo nel corso del VII secolo a.C., periodo al quale può essere assegnato il secondo strato della necropoli di Butera, con tombe ad inumazione e ad incenerazione, in anfore e *pithoi*, e con corredi di vasi protocorinzi o di fabbrica gelese (fig. 17).

L'uso della incinerazione, riscontrato anche a Gela in poche tombe di età arcaica, avvalora l'ipotesi dei precoci contatti del sito di Butera con i Greci — suggeriti, peraltro, dall'uso del rito della cosiddetta acefalia molto diffuso a Priniàs — e conferma la presenza dell'elemento cretese anche nell'entroterra[40].

La città costituiva una minaccia per i Greci che volevano impossessarsi della pianura ed essa, pertanto, fu tra le prime località ad essere conquistata e distrutta.

Di Maktorion, invece è stata proposta la localizzazione a Monte Bubbonia, un'altura a nord-est di Gela, in prossimità delle vie di penetrazione verso Piazza Armerina e Caltagirone. Le esplorazioni siste-

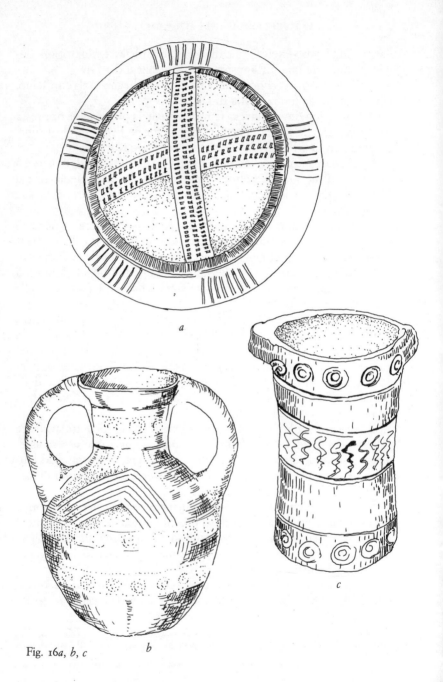

Fig. 16a, b, c

Fig. 17

matiche avviate nella zona da P. Orsi[41] e successivamente riprese ad opera di D. Adamesteanu[42] e D. Pancucci[43], hanno evidenziato, tra l'altro, gli avanzi di un edificio del VII secolo a.C., con ceramica indigena e greca del protocorinzio geometrico. Anche dalle necropoli di questo centro sono venuti alla luce materiali ceramici riferibili ad orizzonti culturali sicani (vasi nello stile di Sant'Angelo Muxaro-Polizzello) e siculi (vasi decorati nello stile Finocchito-Licodia Eubea); molti erano soprattutto i corredi indigeni associati con oggetti d'importazione greca, dapprima vasi corinzi e successivamente vasi attici. Ciò dimostra che il centro di Monte Bubbonia fu occupato precocemente dai Rodio-Cretesi e conseguentemente ellenizzato, tanto da assumere i caratteri tipici di una cittadella greca, sia nell'impianto urbano che nelle usanze funerarie, cultuali e nella produzione della plastica architettonica (fig. 18).

È probabile quindi che Monte Bubbonia sia proprio la Maktorion,

Fig. 18

citata nel I libro di Filisto come una colonia fondata dai Geloi su un precedente centro indigeno, del quale aveva conservato il nome[44].

Anche a Monte Desusino, nella valle dell'Imera, a nord-ovest di Gela, abitava un'altra comunità indigena in un villaggio di capanne, posto sul pianoro di un'altura[45]; il sito ben presto gravitò nella sfera d'influenza geloa, inizialmente a scopi commerciali. Una coppa d'importazione rodia, rinvenuta sul battuto di una delle capanne, decorata da losanghe a reticolo e volatili e rientrante nel secondo gruppo della classificazione Coldstream, permette di assegnare l'arrivo dei Greci nella zona nel primo venticinquennio del VII secolo a.C.[46].

La precoce occupazione di questi siti indigeni fece sì che i Geloi potessero avanzare verso il centro della Sicilia, giungendo fino a Sabucina[47], a Monte S. Giuliano[48] e a Gibil Gabib[49], presso Caltanissetta, già nella seconda metà del VII secolo a.C. e subito dopo ancora più all'interno.

Il progetto espansionistico dei Rodio-Cretesi, invece, verso l'area orientale della Sicilia trovava un forte ostacolo in Siracusa, che agli inizi del VI secolo a.C. aveva fondato Camarina; in ragione di ciò le loro mire si rivolsero verso altre direttive e, seguendo le vie fluviali del Gela e del Maroglio, essi si spinsero fino a Niscemi[50], a Monte Lavanca Nera[51], a nord di Dessueri e a Monte S. Mauro di Caltagirone, dove le manifestazioni architettoniche e plastiche, incrementatesi a partire dal VI secolo a.C., mostrano spiccati caratteri geloi[52].

Ad ovest la penetrazione seguì due direzioni ben precise: lungo la fascia costiera e, all'interno, lungo la valle dell'Imera, del quale si assicurarono il controllo della foce con la fondazione di una cittadella sul Monte Eknomos, a Licata (fig. 2b)[53]. Lungo le valli fluviali interne furono occupate molte delle colline del territorio licatese e più internamente venne ellenizzato Monte Saraceno, presso Ravanusa (fig. 2b), con molta probabilità la Kakyron sicana delle fonti letterarie.

La ricerca, condotta nella zona da Pirro Marconi[54], Paolo Mingazzini[55], Dinu Adamesteanu[56] e dall'Istituto di Archeologia dell'Università di Messina[57], ha offerto dati significativi per la cronologia dell'arrivo sul luogo dei coloni greci e della successiva graduale trasformazione del centro indigeno in un centro di cultura mista, con marcate tracce di ellenizzazione, soprattutto nel corso della seconda metà del VII secolo a.C.

L'espansione dei Rodio-Cretesi verso occidente, che aveva portato al possesso dei siti di Castellazzo e Piano della Città di Palma di Montechiaro, si concluse con la fondazione di Agrigento (Akragas), nel 580 a.C. ad opera di due ecisti, Aristonoos e Pystilos, senza dubbio con l'intento di porre un freno all'avanzata di Selinunte, colonia dei Megaresi di Megara Hyblea, che tentava di allargare i suoi possedimenti verso questa parte della fascia costiera isolana[58].

L'ampliamento dei suoi confini territoriali verso occidente garantiva a Gela il controllo delle aree fluviali dell'Imera e dell'Alykos, attraverso le quali poté svolgere i suoi commerci e irradiare il suo patrimonio culturale.

Agli inizi del VI secolo a.C. il disegno espansionistico dei Geloi poteva dirsi concluso; diversi centri fortificati (φρούρια) e cittadelle vere e proprie erano sorti sui precedenti centri indigeni o erano stati realizzati appositamente per rendere possibile il controllo capillare e strategico delle vie di penetrazione politica, seguito ad una prima espansione di tipo commerciale (fig. 2*b*). Attraverso tali centri la cultura greca poté giungere fin nel cuore della Sikania, influenzando e trasformando le precedenti società indigene e il loro patrimonio culturale e religioso; ma tali centri ebbero nel contempo una funzione anticalcidese e anticorinzia diventando le punte avanzate di Gela.

## La produzione artistica: importazioni e officine locali

Giunti nella nuova *polis*, i coloni portarono con sé esperienze e cultura maturate nella madrepatria e trapiantarono nella nuova sede culti, usanze e modi della loro vita sociale e politica. Gli oggetti di culto e d'arte, i doni votivi e i manufatti di uso comune, idonei a soddisfare le esigenze dei nuovi venuti, furono direttamente importati dai paesi di origine e poi anche fabbricati sul posto ad imitazione dei prodotti greci. Dobbiamo ritenere, pertanto, verosimile che gli artigiani si erano trasferiti a Gela trapiantando le loro officine contraddistinte da un patrimonio artistico già consolidato cosicché fu facilitata l'irradiazione della cultura greca anche nel territorio interessato dalla politica espansionistica dei coloni.

Fin dai primi tempi della fondazione della colonia risultano notevoli le importazioni di ceramica procorinzia e rodia, come nel caso di quella trovata nei livelli più bassi dell'acropoli o nelle aree sepolcrali; e tali ceramiche prevalgono decisamente nei confronti degli altri prodotti greci. Tra le forme corinzie più diffuse tra gli ultimi decenni dell'VIII secolo gli inizi del VII a.C. figurano soprattutto gli *aryballoi* globulari e ovoidali, le *oinochoai* a corpo conico ed alto collo cilindrico, le pissidi cilindriche, inquadrabili nel protocorinzio sub-geometrico; tali vasi nei tipi più antichi erano decorati con semplici motivi geometrici, poi con scene figurate di cani in corsa inserite in una fascia a risparmio sul corpo, secondo modelli che richiamano esemplari simili di Perachora e di altre colonie della Sicilia (tav. 5)[59].

Da Rodi, invece, risultano importate le coppe con decorazione di uccelli (fig. 19)[60], le tazze a profilo ricurvo ed orlo svasato interamente verniciate in nero[61] ed anche gli *aryballoi* a corpo tronco-conico a motivi geometrici, di derivazione cipriota; i suddetti *aryballoi* si presentano dipinti da cerchielli concentrici combinati con gancio (tav. 6) o da gruppi di tremoli e sono molto diffusi nelle colonie greche di Occidente, in special modo a Pithecusa e a Cuma[62]. Sono presenti anche gli *aryballoi* globulari rodii, acromi, che sono stati anche imitati nelle fabbriche gelesi[63].

Fig. 19

Scarse sono, invece, le importazioni da Creta, segno di una ridotta capacità commerciale delle sue fabbriche; tuttavia, tra le poche ceramiche ascrivibili a quell'ambiente va segnalato un magnifico *pithos*, dalla necropoli del Borgo[64], a corpo tronco-conico, anse cilindriche e coperchio decorato da cerchi concentrici (fig. 20), simile ad esemplari sub-geometrici e proto-orientalizzanti di Arkàdes, largamente imitati poi dai ceramisti locali; ciò ha permesso di ipotizzare la provenienza di coloni da quella parte di Creta[65].

Vanno segnalate inoltre le ceramiche di produzione argiva, prive di decorazione dipinta, quali gli *aryballoi* a corpo conico o sferico e le *lekythoi* con decorazione di *chevrons* e losanghe incise, ritrovati sia a Bitalemi che nella necropoli del Borgo[66]. Questa ceramica potrebbe essere giunta a Gela o attraverso i Rodii di Lindos, che originariamente derivavano da Argo, ovvero per la mediazione dei traffici di Corinto.

Anche per mezzo dei coloni rodii dovette giungere a Gela la ceramica cipriota, costituita soprattutto da borracce con decorazione bicroma a bersaglio[67].

Ma già nella prima metà del VII secolo a.C. iniziarono le produzioni locali, attestate dalle fornaci scoperte in via Dalmazia e in via Bonanno; ad esse è stato attribuito tra l'altro un magnifico *stamnos* con scena di cane che insegue una capra selvatica (tav. 7), la cui composizione sintattica risente dell'influsso di modelli tipici delle due isole egee[68]. A tali ambienti si ispirarono le fabbriche locali ancora nella seconda parte del secolo, periodo al quale si data, ad esempio, un *aryballos* rodio a collo antropomorfo, rinvenuto nei livelli più antichi di Bitalemi, e di ispirazione cipriota[69].

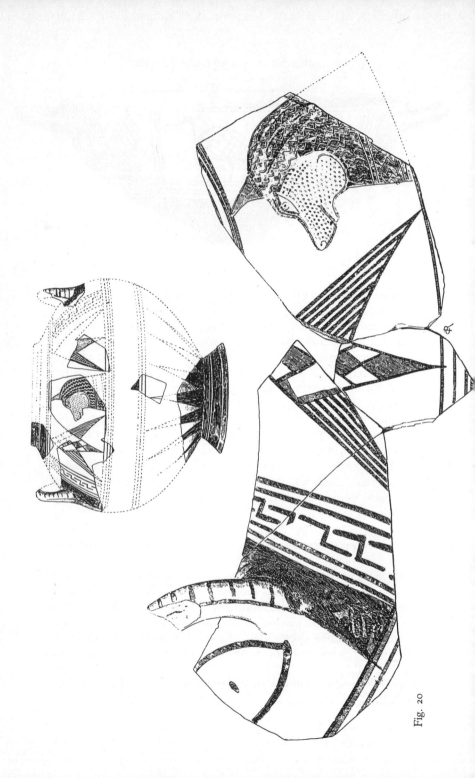

Fig. 20

Fig. 21 .

Le officine locali produssero anche ceramiche improntate allo stile orientalizzante e adottando una iconografia fantasiosa raffigurarono sui vasi Sfingi, uccelli, grifi, fiori di loto e protomi taurine, nella tecnica a silhouette piena, con zone a risparmio[70] (fig. 21). Se le figure scelte per le scene dei vasi dimostrano una chiara ascendenza cretese, dovuta ai vincoli di origine, si può però evidenziare nei prodotti locali un certo eccletismo, per gli spunti tratti da altre officine, che appaiono però liberamente interpretati con gusto e fantasia (tav. 7).

Ma insieme ai vasi decorati con motivi attinti dal repertorio animale e floreale comparvero, sempre nel corso del VII secolo a.C., anche vasi con semplice decorazione lineare in bruno, largamente esportati fino al centro della Sicilia; le forme più comuni sono le *oinochoai* trilobate, le *hydriai*, le brocche, facilmente riconoscibili dall'argilla verdognola e dall'ingubbiatura giallina. Un esempio significativo della vivacità decorativa dei ceramisti locali si coglie in una tazzina di Bitalemi, con la *triskeles* dipinta sul fondo, quasi a simboleggiare liberamente la Trinakria (tav. 8) (nome con il quale veniva chiamata la Sicilia per la sua particolare forma a triangolo)[71].

Abbondanti sono anche le importazioni di statuette prodotte nelle officine greco-orientali, rodie e cretesi, facilmente riconoscibili per l'impasto dell'argilla e per il modellato morbido delle masse plastiche. Da Samo proveniva un piccolo busto fittile lavorato a stecca, rinvenuto sull'acropoli[72] e da Creta una statuetta femminile stante, con alto *polos* sul capo, trovata a Bitalemi[73]; da Rodi, invece, furono importate le due statuette fittili, una femminile e una maschile di cavaliere, contenute in un deposito votivo dell'acropoli (tav. 4*a, b, c, d*)[74].

Ma molto presto anche questi oggetti furono sostituiti da quelli fabbricati in loco, tra i quali spiccano tre figure femminili, dal santuario di Predio Sola, vestite di chitone segnato alla vita e aderente al seno, con le braccia distese lungo i fianchi; il loro capo è sormontato da un alto *polos*, mentre la massa dei capelli a piani orizzontali, che inquadra il volto costruito a piani convergenti, riflette l'imitazione di modelli cretesi (tav. 9)[75].

Due oggetti sono estremamente significativi per comprendere meglio la capacità artistica raggiunta dagli artigiani geloi alla fine del VII secolo a.C. e cioè una lucerna e un *pinax* fittili trovati a Predio Sola[76]. La prima, di forma triangolare, ha sei vasche, sulle quali esternamente erano applicate delle protomi di arieti alternate a protomi umane e dipinte con reticolo a rombi di vernice nera. Giustamente è stato ritenuto che la lucerna si ispirava a prototipi marmorei cicladici, ravvivati dal graffito e dalla resa pittorica dei particolari delle protomi[77]; la stessa tecnica del graffito associato alla pittura a rombi si ritrova sullo splendido esemplare di *pinax*, rappresentante una figura femminile con le braccia piegate, aderenti ai fianchi (tav. 10 *a* e *b*).

La dipendenza artistica degli artigiani geloi dalle officine della madrepatria fu superata solo nel secolo successivo e allora si può assistere a manifestazioni autonome che si caratterizzano nei sempre più elaborati modelli plastici e in un repertorio figurativo ceramico vario e complesso.

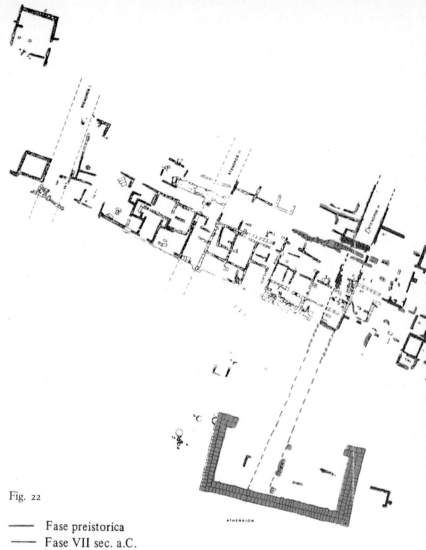

Fig. 22

ATHENAION

— Fase preistorica
— Fase VII sec. a.C.
— Fase VI sec. a.C.
— Fase V sec. a.C.
— Fase prima metà IV sec. a.C.
— Fase di età timoleontea

GELA - ACROPOLI

PLANIMETRIA ARCHEOLOGICA

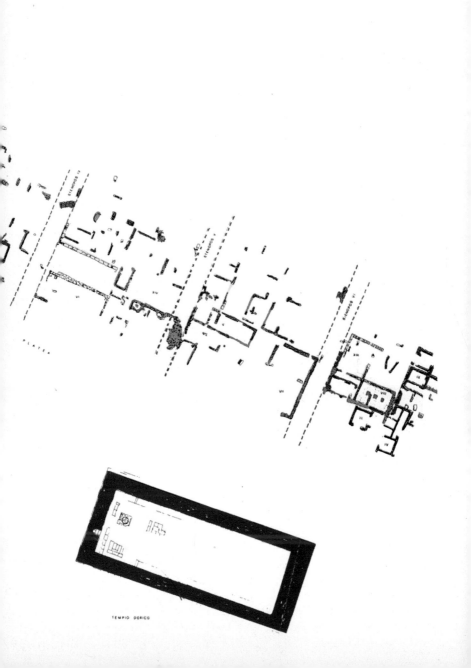

TEMPIO DORICO

# III.
# Gela tra il VII e il VI secolo a.C.

È certo che tra il VII e il VI secolo a.C. Gela continuò a mantenere una posizione egemone nel contesto del territorio compreso tra il fiume Gela ad est e l'Imera ad ovest, dove il processo di ellenizzazione poteva dirsi ormai completato. I centri indigeni occupati, sotto la pressione politica e culturale geloa, si trasformarono progressivamente in cittadelle di tipo greco, cinte da mura di fortificazione, con templi e impianti urbani tipici della grecità, che attestano un assoggettamento ai canoni e agli schemi culturali e artistici trasmessi dai coloni rodio-cretesi.

Nel VI secolo a.C. alcuni centri nell'area compresa tra l'Imera e l'Alykos entrarono a gravitare nell'orbita politica di Akragas, la quale, grazie alla politica espansionistica del suo tiranno Falaride, diventò un vero stato, capace di porsi in alternativa a Gela; ed infatti, l'evidenza archeologica documenta la graduale ellenizzazione di marca agragantina dei siti posti nelle valli tra i due fiumi e lungo la costa.

I centri di Castellazzo e Piano della Città di Palma di Montechiaro[1], di Licata[2], di Monte Saraceno presso Ravanusa[3] caddero nella sfera d'influenza del tiranno acragantino, fortemente deciso ad avanzare lungo le direttrici interne dell'area compresa tra i due fiumi per ottenere il controllo dei grandi centri indigeni della Sikania; primo tra tutti, Camico, identificato con Sant'Angelo Muxaro[4], poi Polizzello[5], Marianopoli[6], Castronovo, probabilmente la Krastos delle fonti storiche[7]. Da quella zona della Sicilia Falaride poté spingersi fino ai limiti della χώρα di Himera, colonia fondata sulla costa tirrenica da Zancle.

Gli stessi siti di Gibil Gabib, di Monte San Giuliano, di Sabucina, prima occupati dai Rodio-Cretesi di Gela, manifestarono allora una forte preponderanza dell'influsso acragantino, che si può notare anche nel centro indigeno ellenizzato di Vassallaggi, a sud-ovest di Caltanissetta, presso S. Cataldo[8].

Ma parecchi di tali centri, pur mostrando un assoggettamento all'influenza greca, continuarono ad avere spiccate peculiarità proprie, che tradiscono una tradizione indigena fortemente permeata anche di persistenze riconducibili ad ambiente egeo, pronta a reagire ai canoni e agli schemi dei nuovi colonizzatori e ad avere manifestazioni autonome nel campo artistico e urbanistico. Gli echi di tali produzioni si possono notare in alcuni manufatti locali e nella adozione di impianti urbanistici originali ed estranei agli schemi greci.

Se da un canto i complessi architettonici cultuali costruiti nel VI secolo a.C., nonché i vasi e gli oggetti d'importazione greca, trovati negli abitati e nei corredi delle tombe di Sabucina, Polizzello, Marianopoli, Vassallaggi, confermano la totale irradiazione culturale dell'elemento rodio-cretese, non si può negare tuttavia che la componente indigena rimase forte e radicata, capace di persistere autonomamente e consistentemente all'assoggettamento ellenico, riuscendo anche ad interpretare i modelli artistici e architettonici importati[9].

Le fonti tacciono sulla storia di Gela per tutto il VII e il VI secolo a.C. e, come abbiamo avuto modo di indicare, le poche notizie tramandatici sono relative a scontri con le città indigene.

Non abbiamo, infatti, nessun dato che ci illumini sugli avvenimenti politici di Gela, ma è possibile ipotizzare che nella città emergesse una classe politica oligarchica; infatti, Erodoto ricorda l'episodio di Teline, antenato dei Dinomenidi, il quale convinse la plebe geloa, fuggita a seguito di lotte civili e rifugiatasi a Maktorion, a ritornare a Gela, a condizione che i suoi discendenti fossero ierofanti delle due dee (Demetra e Kore), carica religiosa di indubbio prestigio che ebbe da allora un carattere pubblico.

## L'acropoli, gli edifici di culto, l'emporio e il porto

La ricerca archeologica, con la ricchezza di dati emersi dai vari scavi condotti nel territorio urbano ed extraurbano, consente di trarre elementi validi per la ricostruzione degli aspetti culturali ed economici di Γέλας per il periodo arcaico.

Nella città si può osservare un totale rinnovamento dell'impianto edilizio e dei complessi architettonici di culto dell'acropoli, ma anche delle altre aree, ed inoltre un incremento edilizio che si concretizza nella realizzazione di nuovi santuari.

La ricchezza dei complessi sacri e dei corredi tombali consente di tracciare un quadro estremamente positivo dell'economia della città, delle officine e degli artigiani che operavano anche sotto gli stimoli degli apporti culturali ellenici.

Sull'acropoli, ad esempio, si assiste ad un progetto di regolarizzazione dell'impianto urbano, che contemplò l'organizzazione di un primo tracciato di strade; fu allora che venne definita la *plateia* disposta in senso est-ovest, lungo la naturale dorsale longitudinale della collina (fig. 22 f.t.)[10]. Sulle pendici terrazzate del settore settentrionale vennero tracciate due strade con orientamento nord-sud (*stenopoi IV* e *VI*), perpendicolari alla *plateia* e sul margine esterno fu eretto il muro di fortificazione, a doppio paramento di blocchi squadrati, largo m 1.90[11].

Questo primo impianto viario condizionò anche la disposizione planimetrica degli edifici, che furono allineati sugli stessi assi, sempre con orientamento est-ovest (tav. 11).

Sorsero nella zona intorno alla metà del secolo molti edifici, interpretati dagli studiosi come sacelli, del tipo senza peristasi, alcuni dei quali sono stati rintracciati sotto le fondazioni dei quartieri di età timoleontea. Tra i più antichi si segnalano gli edifici 1 (m 8 × 15 di profondità), 2, 3, 4 e G a pianta rettangolare, con le fondazioni costruite con pietre a secco, i muri in mattoni crudi e il tetto a doppio spiovente con copertura di embrici piani (fig. 23)[12].

Altri ambienti dello stesso tipo (edifici III, IV, V, VI, VIII) sono venuti alla luce in questi ultimi decenni, ma il più delle volte essi si presentano, purtroppo, mal conservati nelle strutture perimetrali, o perché furono mantenuti in vita per lungo tempo, o perché subirono nei secoli successivi rifacimenti e adattamenti funzionali e topografici[13].

Planimetricamente complesso appare l'edificio VI (fig. 24); è a pianta rettangolare (m 16 × 7,69), con *adyton* sul lato occidentale, ingresso ad est e tetto a doppio spiovente, sormontato da un *kalyptèr hegemón* con antefissa frontonale a maschera gorgonica segnata dalla vivace policromia e dall'accentuazione grossolana del modellato. La Gorgone ha il volto incorniciato dai capelli ad onda e treccioline mosse ai lati del collo.

Sull'estremità orientale era ubicato un edificio particolare (edificio VIII), sottoposto nel tempo a più rifacimenti, che ne variarono le caratteristiche strutturali: originariamente aveva una pianta a *mega-*

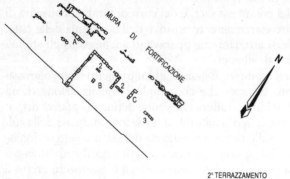

MURA DI FORTIFICAZIONE

N

2° TERRAZZAMENTO

1° TERRAZZAMENTO

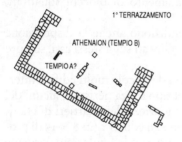

ATHENAION (TEMPIO B)

TEMPIO A?

TEMPIO DORICO (TEMPIO C)

0  5  10        20        30 m

Fig. 23

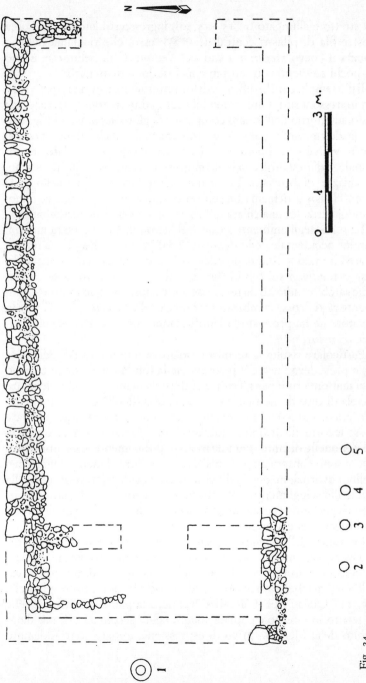

Fig. 24
I numeri 1, 2, 3, 4, 5, rappresentano i punti di caduta delle antefisse

*ron* stretto e allungato (m 15 × 5,70), ingresso sul lato est, *adyton* a ovest e fila di pilastri centrali (fig. 25); esso, che richiama nel suo schema il coevo *megaron* a sud del Tempio C di Selinunte, è uno dei pochi ambienti con muri in conci isodomi di arenaria[14].

Il più semplice era l'edificio V, di forma rettangolare (m 11,20 × 4,40), con ingresso a sud, l'unico non allineato ad un margine stradale, ma posto all'interno dell'isolato compreso tra gli *stenopoi* V e VI (fig. 26); la sua destinazione cultuale è attestata dalle ricche deposizioni di offerte votive di coppette e vasi lasciati all'esterno, sul lato settentrionale, e di pesi fittili con bolli impressi, rinvenuti sul battuto esterno, tra chiazze di bruciato. La pianta dell'edificio ricalca quello della «Breit-Haus» e richiama un ambiente simile di Olus a Creta, dimostrando, pertanto, una chiara influenza da modelli della madrepatria[15].

La serie degli ambienti arcaici dell'acropoli è completata lungo il margine occidentale dello *stenopos* VI dall'edificio VII, a pianta rettangolare (m 15,20 × 10,40), uno dei pochi con orientamento nord-sud e forse con *adyton* sul fondo (fig. 27). Il carattere sacro della costruzione sarebbe indicato da una fossa votiva posta nel suo interno e contenente resti di ossa combuste e ceramica del VII e VI secolo a.C.; ma lo scavatore ne ha proposto l'identificazione con una *lesche* o un semplice *témenos*[16].

Particolare risulta la tecnica costruttiva muraria di tali edifici, la quale prevedeva l'uso del pietrame nella fondazione e nello zoccolo e dei mattoni crudi per gli elevati; infatti, la mancanza nelle vicinanze di Gela di cave di pietra e la conseguente difficoltà di reperire materiale litico, indussero i costruttori, in tutte le epoche, ad adottare spesso le formelle di argilla indurite al sole, sia per le costruzioni civili che per quelle di culto. Per tale motivo, difficilmente le strutture murarie si sono conservate per un'altezza superiore al metro, mentre nei livelli di distruzione degli edifici sono stati evidenziati strati di argilla dovuti allo scioglimento dei mattoni. Nel panorama dei complessi architettonici fanno eccezione i grandi edifici di culto, per i quali furono usati blocchi di calcarenite.

La testata delle travi trasversali del tetto dei sacelli arcaici era ornata generalmente da un'antefissa a maschera gorgonica, animata dai colori e riproducente il volto della Medusa, incorniciato dai capelli a «lumachelle», sormontati da un diadema a rosette plastiche (tav. 12). Questi tipi di antefisse vennero largamente diffuse anche nel territorio interno e copiate ancora nel IV secolo a.C.[17], ma allora il volto della Medusa, privo di espressione, appare contraddistinto

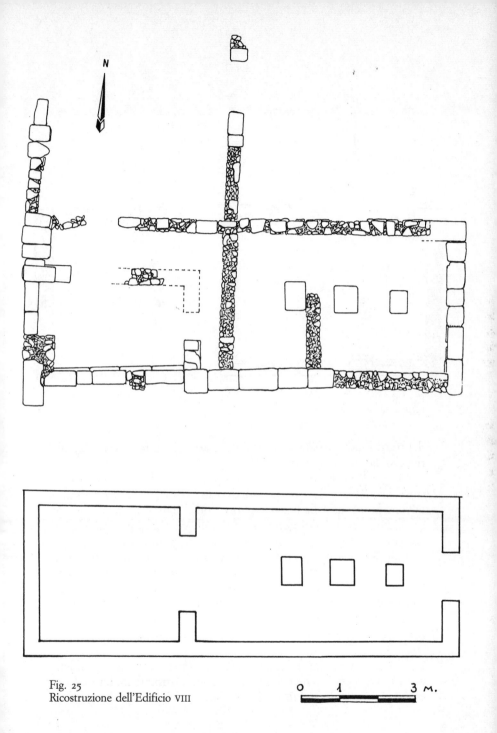

Fig. 25
Ricostruzione dell'Edificio VIII

0     1     3 M.

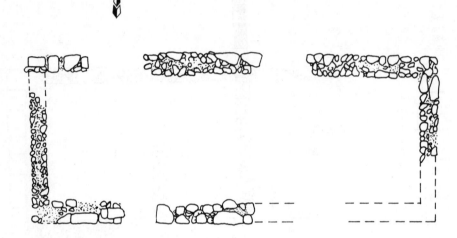

Fig. 26
Edificio V

dai tratti rigidi, rivelando un carattere arcaicizzante e non originale, ripreso da matrici più antiche[18].

Originale era la decorazione dei coppi maestri destinati a coprire la trave del vertice del tetto di alcuni di questi edifici sacri, che assumeva talvolta la forma della parte superiore della figura di un cavallo con cavaliere, costituendo, pertanto, quasi un vero gruppo plastico che svolgeva nel contempo la funzione di acroterio (tav. 13)[19].

Poiché gli edifici sopradescritti rientravano nell'area attorno al Tempio dorico (Tempio B), è stato ipotizzato che la loro funzione fosse quella di completamento del santuario di Athena Lindia, il cui culto nel VI secolo a.C. sarebbe confermato anche dal ritrovamento di numerose statuette fittili riproducenti la dea stante o assisa in trono, con *polos* sul capo e collane sul petto, fissate da fibule sulle spalle[20].

Piccoli monumentini lignei, *naiskoi*, *bothroi* e fontane, completavano i complessi architettonici della zona e probabilmente ad essi erano pertinenti le antefisse dipinte con motivi attinti dal repertorio

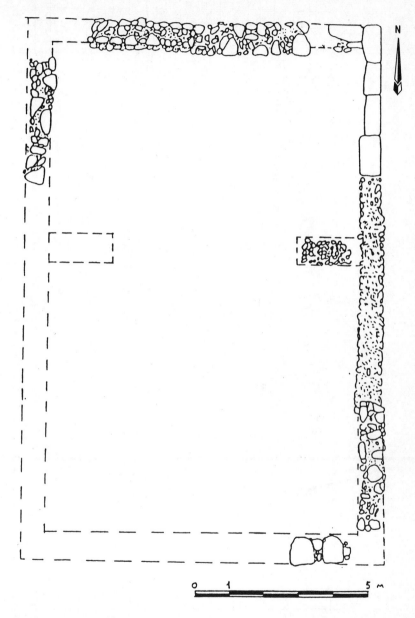

Fig. 27
Edificio VII

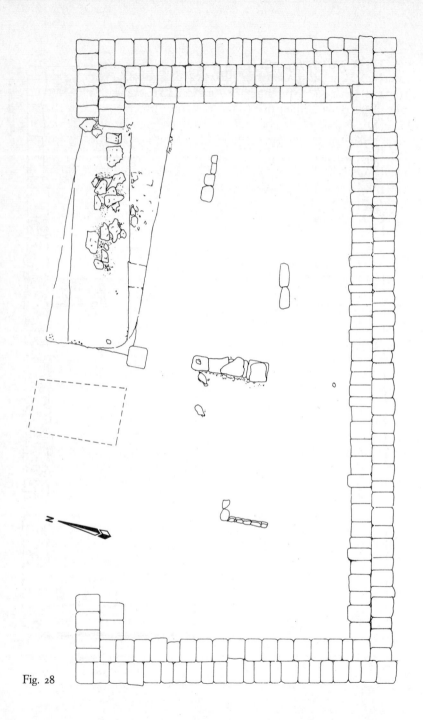

Fig. 28

animale e vegetale, o con scene figurate, delle quali avremo modo di trattare (tav. 14)[21]. Monumenti onorari inoltre sono stati rinvenuti in più punti della collina di Molino a Vento: precisamente un basamento quadrangolare costituito da blocchi squadrati con incassi sulla superficie venne trovato tra la proprietà Castellano e il giardino del Museo, nel tratto orientale del Corso V. Emanuele. Tale basamento sosteneva probabilmente una statua o anche una colonna, e del resto Diodoro accenna a questo tipo di monumenti esistenti a Gela.

Senza dubbio l'edificio più importante dell'acropoli nell'età arcaica era l'Athenaion (Tempio B), posto nel settore meridionale della collina e nel suo punto più alto, da dove si poteva avere la visione del mare antistante e della foce del fiume (fig. 14).

Esplorato da P. Orsi, il tempio, orientato est-ovest, risultò costruito, con blocchi squadrati di calcarenite accostati dai lati lunghi[22], sugli avanzi di un precedente sacello (Tempio A) e conservato solo nel basamento di fondazione; tuttavia è stato possibile ricostruirne la pianta come quella di un periptero dorico (m 35,22 × 17,75), esastilo, con 12 colonne sui lati lunghi (figg. 28-29). La cella, con le colonne *in antis* del pronao, era priva però di colonne all'interno, coperta da capriate lignee, che non necessitavano di sostegni interni. Originariamente la sua ornamentazione architettonica era costituita da due frontoni fittili, sostituiti nel corso del VI secolo a.C., e i cui elementi della *sima* e del *geison*, erano decorati su tre registri paralleli con la doppia treccia, le rosette e le foglie dipinte in rosso, bruno e bianco (fig. 30); al centro, nel cavo del frontone, era collocata una grande maschera gorgonica, usata a scopo apotropaico (fig. 29). La Medusa compariva con il volto mostruoso, carattere questo accentuato dai grandi occhi a bulbo, dal naso schiacciato e da un'enorme bocca contratta dal ghigno e inoltre, dalla vivace policromia. La vista delle maschere era migliore soprattutto da un punto lontano dal tempio, poiché la *sima* orizzontale, corrente sotto lo stesso *gorgoneion*, ne impediva la totale visuale[23].

Il tetto del tempio, a doppio spiovente, era sormontato, come a Camarina, da figure acroteriali di cavalieri, mentre leoni alati o figure isolate di animali erano poste sugli angoli, agli estremi degli spioventi dei frontoni. Elementi floreali e geometrici, disposti variamente e nei colori bruno, rosso e bianco, completavano la decorazione dipinta delle *sime* laterali recanti nelle fasce inferiori i gocciolatoi a tubo con disco molto ampio, ornato di rosette a più petali (fig. 31).

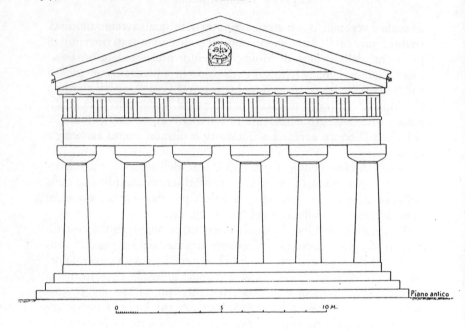

Fig. 29

Le terracotte architettoniche dell'Athenaion sono tra gli esempi più raffinati dei rivestimenti fittili sicelioti e mostrano un gusto decorativo particolarmente vivace delle officine geloe, che addirittura crearono, alla fine del secolo, simili rivestimenti dipinti per il *Thesauros* dedicato dalla città ad Olimpia[24].

Ricche decorazioni architettoniche erano state riservate a molti degli edifici del santuario di Athena, distrutti, sembra, come il tempio principale, alla fine del VI secolo a.C. e ben presto sostituiti con altri, che furono realizzati nell'ambito di un progetto ben preciso di totale rinnovamento dell'acropoli, attuato nel secolo seguente, sotto il governo dei tiranni.

## L'emporio e il porto

L'organizzazione urbana era completata dall'emporio, posto quasi in prossimità della costa, sulla destra orografica del fiume (fig. 14).

Un vasto settore di tale impianto commerciale è stato riportato alla luce nella località chiamata Bosco Littorio, a sud della collina di Mo-

Fig. 30

lino a Vento, e comprendeva una serie di vani di forma rettangolare, orientati est-ovest, con strutture in mattoni crudi, rivestite d'intonaco, conservate quasi sempre fino al piano di posa delle travi del tetto[25]. La sua particolarità è costituita dall'allineamento degli ambienti, che sembra ricalcare quello degli isolati dell'acropoli (fig. 32). Le difficoltà logistiche di conservazione dei mattoni crudi non hanno reso fino ad oggi possibile l'approfondimento dello scavo fino ai livelli di uso dei vani, per cui la datazione del complesso è stata fatta solo sulla base dei materiali ceramici rinvenuti, che ne fissano la frequentazione dal VII al V secolo a.C.

L'identificazione dell'insediamento con un emporio è suggerita dalla sua posizione topografica; infatti, esso, oltre ad essere prossimo alla foce del fiume, è vicinissimo al tratto di costa dove riteniamo che debba essere localizzato il porto o lo scalo della colonia, verso il quale stava per giungere una nave greca, affondata proprio nel tratto di mare antistante[26].

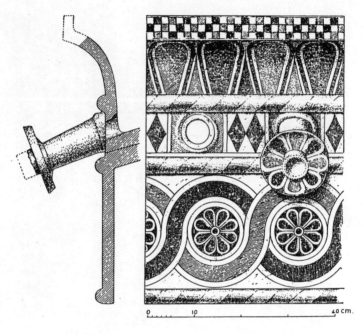

Fig. 31

Le fonti antiche non fanno alcun cenno del porto di Γέλας, eppure è davvero strano che la città non disponesse fin dai tempi della fondazione almeno di un approdo: solo Tucidide accenna ad una flotta di cinque triremi posseduta dalla città, che sarebbe stata mandata in aiuto ai Siracusani, durante il conflitto con gli Ateniesi[27].

La scoperta della nave e dell'emporio rendono pressoché sicura la presenza di un approdo, nel quale venivano raccolte le merci importate ed immagazzinati i cereali prodotti nel territorio, pronti per essere trasportati e venduti nei mercati stranieri.

I generi di lusso e i prodotti importati dalle altre regioni della madrepatria venivano venduti sia in città che nel territorio interno, dove arrivavano attraverso le vie fluviali; infatti, i vicini corsi del Gela e dell'Imera un tempo navigabili, potevano essere risaliti con mezzi navali e fin dalla preistoria essi erano stati canali di diffusione della cultura e dei prodotti transmarini.

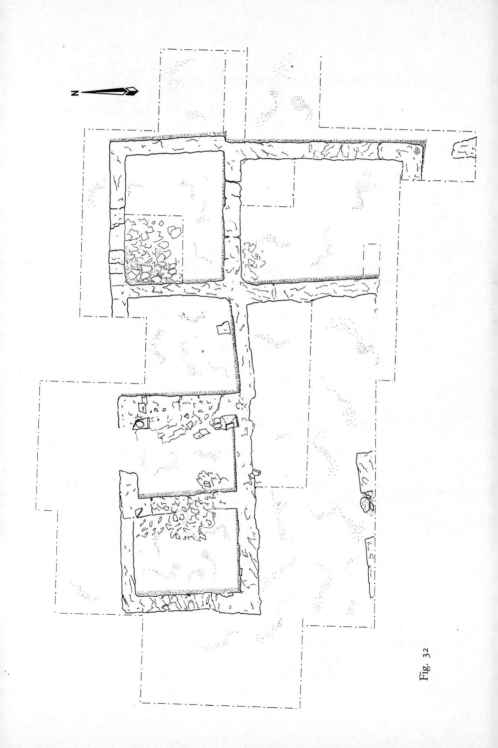

Fig. 32

## I santuari urbani ed extraurbani e i culti

Per completare il quadro della distribuzione topografica dei complessi monumentali bisogna accennare agli altri santuari urbani e a
quelli extraurbani disposti questi ultimi, in numero notevole, fuori
dal perimetro delle mura di cinta.

Tra i primi va ricordato quello scoperto a nord-ovest dell'acropoli,
nell'area del cosiddetto Molino di Pietro, tra le attuali via Eschilo e via
Apollo (fig. 14) [28].

In questa zona furono individuati solo gli strati di distruzione di
due edifici arcaici, ai quali appartenevano le terracotte fittili architettoniche dipinte con motivi floreali e lineari. Si trattava probabilmente
di due sacelli del VII-VI secolo a.C., con strutture in mattoni crudi,
distrutte da un incendio; uno di essi fu sostituito nel secolo successivo da un nuovo edificio con tetto coperto di tegole, sormontate
da un *kalyptèr hegemón*, formato da elementi pentagonali, sui quali
spiccavano acroteri con palmette di tipo ionico; le testate delle stesse
tegole erano decorate da antefisse sileniche.

Ancora più ad ovest, nel giardino di proprietà Calì, fu ritrovato
uno scarico di terracotte architettoniche di età arcaica, alcune delle
quali erano elementi residui di un fregio laterale di un grande tempio [29]. Tutti i sacelli prossimi all'area del Molino di Pietro dovevano
far parte di un santuario arcaico sviluppatosi attorno ad un tempio
di grandi dimensioni, distrutto da un incendio e i cui avanzi furono
obliterati dalla stessa fondazione dell'edificio moderno; il suo coronamento era costituito da sime e cassette fittili dipinte con articolati motivi della doppia treccia, disposta su due registri, separati da palmette
e campite da rosette a più petali. L'argilla degli elementi architettonici
degli edifici di Molino di Pietro tradisce la matrice locale delle officine e dell'artigiano, che aveva adottato una sintassi decorativa di motivi largamente sperimentati, ma qui composti in maniera varia ed ela-
borata ed evidenziati dalla gamma dei colori varianti dal rosso, al
bruno, al bianco.

Non vi sono dati che consentano di attribuire questo santuario urbano, ma è probabile che esso fosse dedicato a Zeus Atabyrios, perché anche a Rodi e ad Agrigento il culto del padre degli dei veniva
praticato in un luogo prossimo a quello della dea Athena, che in questo caso era venerata sulla vicina acropoli.

Anche il santuario urbano dedicato ad Era, del quale abbiamo già

Tav. 1
Veduta della necropoli di Dessueri.

Tav. 2
Corredo della tomba n. 102 di Dessueri
(cultura di Pantalica Nord; XII-XI sec. a.C.).
(Gela, Museo Archeologico)

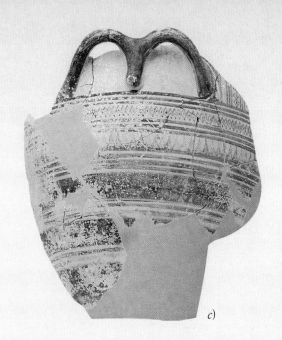

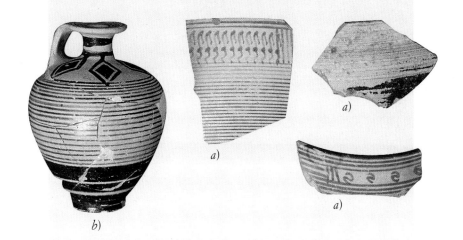

Tav. 3
a) Ceramiche a decorazione lineare (fine dell'VIII sec. a.C.).
b) *Aryballos* protocorinzio della necropoli di Spina Santa
(fine dell'VIII sec. a.C.).
c) Anfora tardo-geometrica della necropoli arcaica (fine dell'VIII sec. a.C.).
(Gela, Museo Archeologico)

TAV. 4

*a*) Busto fittile samio, dall'acropoli (metà del VII sec. a.C.).
*b*) Testina fittile di fabbrica cretese, da Bitalemi
(seconda metà del VII sec. a.C.).
*c*) Torso rodio equestre, dall'acropoli (seconda metà del VII sec. a.C.).
*d*) Statuetta fittile femminile di fabbrica rodia, dall'acropoli
(seconda metà del VII sec. a.C.).
(Gela, Museo Archeologico)

Tav. 5
*Oinochoe*, pisside cilindrica e *aryballoi* protocorinzi (inizio del VII sec. a.C.).
(Gela, Museo Archeologico)

TAV. 6
*Aryballos* rodio (inizio del VII sec. a.C.).
(Gela, Museo Archeologico)

TAV. 7
*Stamnos* figurato di produzione locale
(seconda metà del VII sec. a.C.).
(Gela, Museo Archeologico)

TAV. 8
Tazzina con decorazione dipinta raffigurante la *triskeles*.
(Gela, Museo Archeologico)

Tav. 9
Statuette fittili femminili da Predio Sola
(ultimo quarto del VII sec. a.C.).
(Gela, Museo Archeologico)

Tav. 10
*Pinax* e lucerna fittile, da Predio Sola (fine del VII sec. a.C.).
(Gela, Museo Archeologico)

Tav. 11
Veduta degli edifici del settore settentrionale dell'acropoli.

TAV. 12
Antefisse a maschera gorgonica da edifici sacri dell'acropoli
(seconda metà del VI sec. a.C.).
(Gela, Museo Archeologico)

Tav. 13
Frammento di un gruppo acroteriale equestre dell'acropoli
(fine del VI sec. a.C.).
(Gela, Museo Archeologico)

TAV. 14
Antefisse dipinte da edifici dell'acropoli (fine del VI sec. a.C.).
(Gela, Museo Archeologico)

Tav. 15
Modellino fittile di tempietto dall'Heraion (seconda metà del v sec. a.C.).
(Gela, Museo Archeologico)

Tav. 16
Statuetta fittile di donna con bambino sulla spalla,
dal santuario di Bitalemi (prima metà del v sec. a.C.).
(Gela, Museo Archeologico)

Tav. 17
Statuette di divinità assisa con *polos* sul capo, da Bitalemi
(seconda metà del vi sec. a.C.).
(Gela, Museo Archeologico)

Tav. 18
Grande maschera fittile femminile, dal santuario di Predio Sola
(seconda metà del VI secolo a.C.).
(Gela, Museo Archeologico)

Tav. 19
Arula fittile con scena di Eos e Kefalos, dal santuario di Via Fiume,
ex scalo ferroviario (ultimi decenni del vi sec. a.C.).
(Gela, Museo Archeologico)

TAV. 20
Arula fittile con scena di Eracle che uccide Alcioneo
(fine del VI sec. a.C.).
(Gela, Museo Archeologico)

TAV. 21
Cassette fittili dipinte, dal sacello di Piano Camera (seconda metà del VI sec. a.C.).
In primo piano il frammento di cassetta indigena.
(Gela, Museo Archeologico)

Tav. 22
Balsamari plastici, da Bitalemi (seconda metà del VI sec. a.C.).
(Gela, Museo Archeologico)

a                                    b

TAV. 23
Vasi di produzione corinzia:
*a*) *aryballos* piriforme a squame (650-625 a.C.)
*b*) *alabastron* con scene di sfingi in posizione araldica (625-600 a.C.).
(Gela, Museo Archeologico)

TAV. 24
Pisside, *kothon* e *kotiliskos* a decorazione lineare del tardo corinzio (580-530 a.C.).
(Gela, Museo Archeologico)

TAV. 25
*Kotyle* corinzia con *theoria* di animali
(cigni tra pantere) (metà del VI sec. a.C.).
(Gela, Museo Archeologico)

Tav. 26
Statuette di Athena Lindia (fine del VI sec. a.C.).
(Gela, Museo Archeologico)

Tav. 27
*Kore* con incensiere sul capo, dall'acropoli (fine del vi sec. a.C.).
(Gela, Museo Archeologico)

Tav. 28
*Kore* di pietra con ghirlanda tra le mani, dall'acropoli
(metà del vi sec. a.C.).
(Gela, Museo Archeologico)

TAV. 29
*Alabastra* corinzi con decorazione lineare o con decorazione figurata
(fine del VII sec. a.C.).
(Gela, Museo Archeologico)

TAV. 30
*Lekithos* a fondo bianco con Apollo e Artemide ai lati di una palma,
sotto un portico (Pittore di Gela - 510 a.C.).
(Gela, Museo Archeologico)

TAV. 31
*Lekithos* a figure nere della classe di Phanillis (ultimi decenni del VI sec. a.C.).
(Gela, Museo Archeologico)

TAV. 32
Didramma di Ippocrate: D/cavaliere all'assalto; R/toro androcefalo.
(Gela, Museo Archeologico)

accennato nel capitolo precedente, fu utilizzato nel VI secolo a.C. e ad
un ambiente di tale complesso va attribuita l'antefissa dipinta con la
scena di un Sileno, che avanza carponi tenendo un *rython* nella mano
destra[30]; il prezioso manufatto rientra nel gruppo di esemplari prodotti nelle officine locali (tav. 14), alle quali va pure riferito il modellino fittile di tempietto trovato nella stessa area, che, così come quello
di Contrada Carrubbazza, imita il ben noto prototipo dell'Heraion di
Argo (tav. 15)[31].

Dell'Heraion gelese non sono state ritrovate strutture monumentali, ma solo i resti di quattro capitelli dorici e di numerosi elementi fittili della decorazione architettonica di edifici interpretati come sacelli[32].

Sembra comunque che il santuario sia rimasto in vita fino al 405 a.C.,
allorché fu definitivamente abbandonato e l'area adibita a quartieri di
abitazioni, con i quali sono da mettere in relazione i pozzi e le cisterne
trovati pieni di frammenti ceramici e plastici di età timoleontea[33].

I santuari extraurbani erano dedicati in genere al culto delle divinità ctonie e uno dei più antichi, frequentato fin dalla metà del VII
secolo a.C., sorgeva sulla collinetta di Bitalemi presso la foce del
fiume Gela; il toponimo è una coruzione locale del termine Be-
tlemme e la zona, fino a pochi decenni or sono, era meta di pelle-
grinaggio per molte donne gelesi, che si recavano, portando sulla
spalla un fanciullo, nella locale cappella della Vergine, costruita
sui ruderi di una fattoria padronale; veniva così reiterata una vecchia tradizione pagana, perpetuatasi dall'epoca greca, come attestano le statuette riproducenti figure femminili in simili atteggiamenti
(tav. 16).

Le ricerche condotte sulla collina già dai tempi di P. Orsi[34] avevano fatto attribuire il santuario al culto di Demetra e Kore; ma più
recenti indagini hanno potuto precisare che si trattava di un *Thesmo-
phorion*, in cui era venerata Demetra *Thesmophoros*, da sempre celebrata in luoghi suburbani con riti propiziatori per la fecondità della
terra e delle donne; infatti, un'iscrizione dipinta sul coperchio di
una pisside attica in cui si leggono chiaramente le parole (h)ιαρὰ θεσ-
μοφόρο cioè «sacra della *Tesmophoros*» ha confermato la specifica
forma di culto, riservata soprattutto alle donne[35].

Il santuario ha rivelato tre distinte fasi di vita, distribuite cronologicamente tra la seconda metà del VII e il V secolo a.C.

Dall'inizio e fino alla metà del VI secolo a.C., nel sito furono im-
piantate solo baracche rettangolari, con strutture di fondazioni in

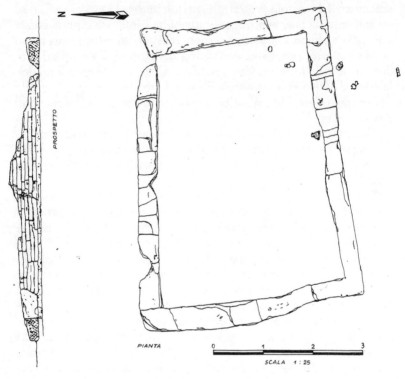

Fig. 33

mattoni crudi ed elevato in legno (fig. 33), che servivano ad ospitare le *tesmoforiazuse* (fedeli della *Thesmophoros*) nei tre giorni antecedenti alla festa; in quel tempo le offerte di vasi, lucerne, statuette, oggetti in bronzo, quali monili, *aes rude*, *aes formatum* e *aes signatum* venivano deposte direttamente nella sabbia, così come le pentole, i coltelli in ferro, le ossa di piccoli animali, evidenti residui di pasti rituali; furono deposti anche attrezzi agricoli in ferro, quali una falce, una zappa e due vomeri, oggetti tipici del culto propiziatorio della fecondità della terra[36].

Solo intorno alla metà del VI secolo a.C. il santuario ricevette una prima sistemazione monumentale, con la costruzione di sacelli rettangolari, con orientamento est-ovest, poggiati su una massicciata di argilla, che sigillò i livelli di uso precedenti (fig. 34, G4, G5, G7); le loro fondazioni erano in pietrame, l'elevato in mattoni crudi, mentre la de-

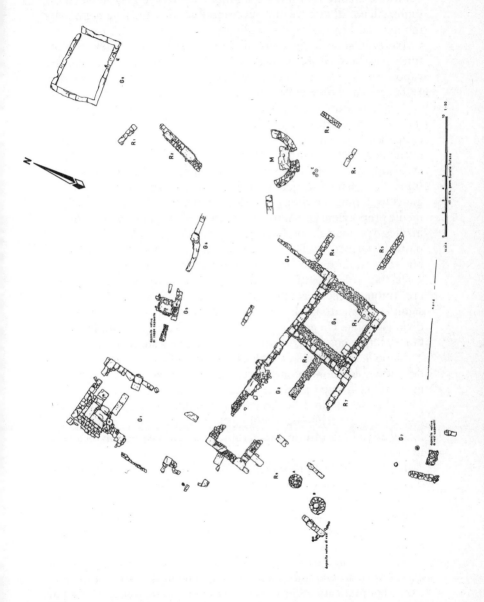

Fig. 34

corazione architettonica era costituita da antefisse gorgoniche o dipinte. Alcuni di questi edifici avevano il tetto di tegole e coppi sormontati dal *kalyptèr hegemón* dipinto.

Notevoli sono le deposizioni votive lasciate dalle fedeli, soprattutto maschere fittili, statuette di divinità in trono, con *polos* sul capo (tav. 17), pesi fittili, in parecchi casi riportanti l'iscrizione Θεοτιμος (caro al dio), e molte *hydriai*.

In questo santuario ctonio, nel V secolo a.C., in seguito ad un incendio, vennero rifatti alcuni ambienti con muri di blocchi squadrati di arenaria e il pavimento di lastre litiche; essi differivano dai precedenti anche nell'orientamento, leggermente sfalsato a sud-est. Uno di tali ambienti (G2) serviva per le riunioni dei fedeli, era cioè una *lesche* (m 11 × 4) con un vano quadrato a nord-ovest, destinato forse allo svolgimento di pratiche rituali. Un altro ambiente (G1) era un sacello di medie proporzioni con muri e pavimento in blocchi squadrati. Anche in questo periodo abbondavano le offerte votive, costituite in massima parte da statuette fittili di offerenti con il fiore di papavero o il porcellino, ovvero da figure femminili con bambino tra le braccia o sulla spalla (tav. 16); nelle stipi votive (deposito o scarico di suppellettili sacre) furono raccolte coppe e *oinochoai* acrome, sempre capovolte e significativamente rivolte in basso verso la dimora sotterranea delle divinità ctonie. Un edificio destinato al culto era quello indicato con G4, di forma quadrata, in parte sconvolto in età successiva.

Dopo la distruzione cartaginese del 405 a.C. il santuario fu quasi del tutto abbandonato, mentre l'area fu riutilizzata, come vedremo, in età romano-imperiale e ancora dopo nel XIV secolo.

L'altro santuario del culto ctonio a Predio Sola (fig. 14) nel VI secolo a.C. fu arricchito da alcuni sacelli, nei quali vennero depositate, fino al 405 a.C., le offerte votive, soprattutto maschere fittili (tav. 18) e lucerne[37].

La tipologia strutturale degli edifici geloi di culto arcaici extraurbani può essere ricavata o dal modellino fittile di sacello trovato nell'Heraion (tav. 15), ovvero da un altro modellino fittile di sacello dalla località Carrubbazza, a nord-ovest dell'acropoli (fig. 14), dove erano venerate in un santuario campestre Athena, la dea protettrice della città, e Demetra[38].

Tale modellino è a pianta quadrangolare, con ingresso solo su un lato e tetto a doppio spiovente[39]. Probabilmente il culto delle divinità ctonie era praticato a Gela in ambienti non molto grandi, che servivano anche per la raccolta delle offerte propiziatrici, come è stato riscontrato sia negli esempi sopraddetti, sia nel santuario ubicato sul pendio settentrionale della collina, nell'attuale zona dell'attuale via Fiume, in prossimità dell'ex scalo ferroviario (tav. 19), famoso per il ritrovamento di un tesoretto di monete contenente tra l'altro 190 tetradrammi ateniesi dell'inizio del V secolo a.C.[40].

L'unico santuario maestoso dedicato a Demetra era quello sulla collinetta a nord della città, localmente chiamata Madonna dell'Alemanna (fig. 14) per la presenza di una chiesa cattolica di origini medioevali, sorta sul luogo di culto pagano[41].

La presenza di una stipe votiva ricca di frammenti di terracotte architettoniche dipinte, di antefisse a maschera gorgonica, di statue femminili in pietra e di arule fittili, ha fatto supporre che in questo sito vi fossero un grande tempio ed alcuni sacelli dedicati alla dea protettrice della terra. Purtroppo, nessuna struttura monumentale è apparsa nella zona di Madonna dell'Alemanna al momento dello scavo, per cui la localizzazione degli ambienti di culto è stata proposta esclusivamente sulla base dell'importante complesso di terracotte figurate e dipinte e soprattutto di una testina fittile femminile con corna, che simboleggiavano un aspetto particolare della dea ctonia, alla quale spesso nella Grecia venivano sacrificate le mucche[42]. Si deve quindi pensare che la dea, con quel particolare attributo, legato comunque alla natura, fosse venerata sulla collinetta di Madonna dell'Alemanna dall'età arcaica fino al V secolo a.C.

Se si fa eccezione del santuario che si trova nella zona dell'ex scalo ferroviario (fig. 14), usato ininterrottamente dal VII al IV secolo a.C., nessuno dei luoghi sacri a Demetra e Kore fu frequentato dopo il 405 a.C., anche se la persistenza di tale culto in età timoleontea sembra suggerita dalle monete con la testa di Demetra.

Ma altri culti erano diffusi a Gela, quali ad esempio quello dell'ecista Antifemo, forse venerato in un *heroon*, sul pendio a sud-ovest della collina ed attestato da un'iscrizione graffita sul piede di una *kylix* attica a vernice nera[43] (fig. 14); era inoltre onorato Eracle, la cui immagine compare sia su un'arula fittile del VI secolo a.C., scoperta a Capo Soprano[44], sia sulle monete d'argento del IV secolo a.C.[45].

La dea Sosipolis, identificata con Kore-Persefone, era raffigurata sulle monete del V-IV secolo a.C., nell'atto di incoronare il toro androprosopo[46], mentre il nome di Pediò — forse una divinità femminile da identificare con la personificazione della pianura, quindi connessa alle divinità ctonie — compare nell'iscrizione graffita sull'orlo di due piatti a figure nere del VI secolo a.C., esposti nel Museo di Palermo[47].

Dalle fonti siamo informati del culto di Apollo e di Asclepio [48], ma fino ad oggi non sono stati individuati resti di santuari dedicati a queste divinità. Il simulacro di Apollo Archageta preso dai Cartaginesi durante l'assedio della città doveva essere posto fuori dalle mura e nella zona orientale. Anche Pindaro ricorda il culto del fiume Gela [49], che è però solo riprodotto in forma di toro androprosopo sulle monete, spesso accompagnato da altri simboli, quali il chicco di grano.

I culti di Eracle e di Demetra e Kore si trovano diffusi anche nel territorio e nelle campagne attorno a Gela (fig. 2b), a Feudo Nobile presso il Dirillo [50], a Marchito presso Dessueri [51], a Chiancata, in Contrada Arcia [52], a Sant'Ippolito [53] e sono documentati da manufatti ceramici e bronzei, che riportano il nome di tali divinità, e da stipe piene di materiali votivi tipici del culto ctonio. Il culto di Eracle doveva essere praticato in età arcaica nella zona esterna alla città, come attesta l'arula fittile decorata a rilievo, con la scena di Eracle che atterra il gigante Alcioneo, venuta alla luce a Capo Soprano (tav. 20).

## Gli insediamenti rurali: un esempio da Piano Camera

Nel VI secolo a.C. la pianura gelese appare costellata sia da luoghi di culto, possibilmente all'aperto, sia da fattorie sparse e spesso lontane l'una dall'altra: Manfria [54], Farello, Santa Lucia, Feudo Nobile, Monacella [55] e Piano Camera sono solo alcuni dei siti in cui sono affiorati i resti di insediamenti rurali, spesso frequentati già dal VII secolo a.C. (fig. 2b). Molti altri piccoli abitati rurali, benché noti solo da rapidi accenni, e quindi scarsamente documentati dal punto di vista archeologico, risalgono probabilmente a questa fase: sono quelli di Cozzo Salina, Marchito, Montelungo, Piano del Lupo, Piano Mola, Piano Stella, Poggio Chiancata, Tenda. Nella regione più interna, lungo la valle del Gela, sorgono le fattorie di Mautana, Moretta, Poggio Pisano, S. Giuliano e Trigona.

Un esempio del modo in cui potevano essere organizzati questi complessi può venire da Piano Camera, dove le recenti ricerche archeologiche hanno rimesso in luce i resti di ambienti arcaici, con strutture in pietrame e mattoni crudi distribuiti attorno ad un sacello rettangolare (fig. 35), il quale, nella forma, richiama l'edificio sacro (Sacello A) dell'ex scalo ferroviario, o l'edificio V dell'acropoli [56].

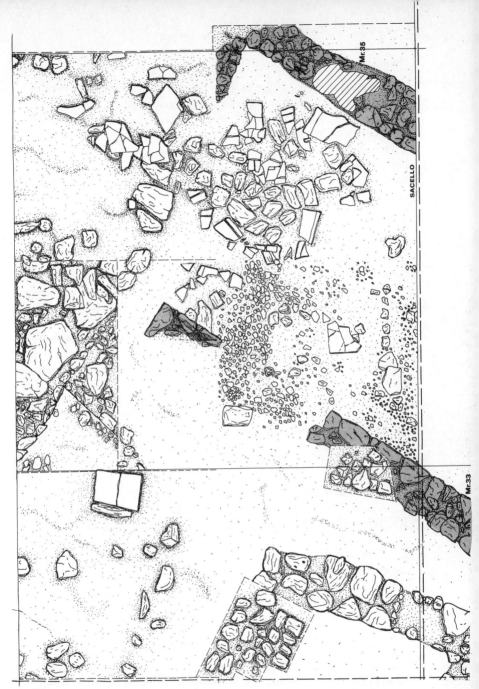

Fig. 35

Il sacello di Piano Camera, pur inserito in un complesso rurale, aveva decorazioni architettoniche di produzione geloa, costituite da cassette fittili, variamente decorate da motivi a treccia e rosette nel campo, dipinti nei colori bruno, rosso e bianco (tav. 21). L'edificio era frequentato dagli abitanti del luogo, i quali, costretti a vivere lontano dalla città, non avevano la possibilità di recarsi spesso nei santuari urbani; ma anche gli indigeni potevano accedervi e lì avevano deposto una statuetta femminile, raffigurata con le braccia piegate nello schema della Gorgone in corsa, i seni cadenti e il collo ornato da una collana a pendagli.

Probabilmente gli stessi indigeni avevano realizzato per quel sacello alcuni elementi delle decorazioni architettoniche, le quali erano dipinte con gli stessi motivi delle altre cassette, ma di fattura scadente e piuttosto rozza (tav. 21). La presenza di tali manufatti ha fatto avanzare l'ipotesi che i proprietari, per la conduzione della fattoria, si servissero di manodopera schiavistica, reclutata tra la popolazione indigena, ormai assoggettata all'elemento greco e ridotta a vivere ai margini della città. I proprietari, invece, dovevano essere discendenti dei primi coloni, tra i quali era stata divisa in lotti la χώρα, poco tempo dopo la fondazione di Γέλας.

## La produzione artistica: importazioni e officine locali

Fino alla metà del VI secolo a.C. furono importati molti oggetti dalle fabbriche rodie e greco-orientali, soprattutto statuette, maschere e balsamari plastici; questi ultimi potevano avere le sembianze di animali, di Sirena, di banchettanti, ovvero erano conformati a testa di Eracle o a busto femminile, con i capelli a treccia disposti ai lati del collo[57]. Tra le statuette fittili femminili prevalgono quelle raffiguranti una divinità stante o assisa in trono e con *polos* sul capo (tav. 17), nonché quelle di divinità con leone sulle gambe, riproducenti la Demetra Cibele[58], e le figure femminili stanti con la colomba sul petto[59].

Tra le figure maschili, invece, furono rappresentati i tipi di divinità o demone inginocchiato (tav. 22), talvolta con il berretto a punta; quasi tutti provengono dallo scavo di Bitalemi[60].

L'attribuzione di tali oggetti a fabbriche rodie è indicata dal modo in cui sono trattate le masse morbide e tondeggianti del volto delle figure, gli occhi grandi con taglio obliquo. Le importazioni dalla madrepatria e dalle aree orientali della Grecia si intensificarono in concomitanza con la ripresa da parte di Rodi del commercio in Occidente; infatti, le statuette di *Korai* con il costume ionico ben presto soppiantarono tutti gli altri tipi in uso nelle colonie siceliote, fatta eccezione del solo tipo a nastro, di origine corinzia, di cui a Gela sono pure presenti alcuni esemplari.

Nella città, nel periodo di cui ci occupiamo, si registrano abbondanti importazioni di oggetti da Corinto, soprattutto nel campo vascolare; l'incremento delle esportazioni da quella città della Grecia fu dovuto in gran parte alla politica di potenziamento delle attività commerciali attuata da Periandro, per cui i Corinzi ottennero una sorta di monopolio commerciale, non solo lungo le aree costiere del Mare Ionio, ma anche nel bacino del Mediterraneo.

L'importazione corinzia a Gela è documentata da una grande quantità di *aryballoi* piriformi decorati da scene figurate o da motivi a squame e a linguette e di *alabastra* con scene di leoni contrapposti araldicamente o con aquile in volo, databili al tardo protocorinzio (650-625 a.C.) e nello stile transizionale (625-600 a.C.) (tav. 23)[61].

Molti sono gli *alabastra* a decorazione lineare, gli *aryballoi* globulari decorati a fiori di loto o con scene figurate di sfilate di opliti, ovvero anche quelli del tipo «quaterfoil», inquadrabili tra il Corinzio Antico e Medio (600-580 a.C.)[62]. Le pissidi e i *kothones* a decorazione lineare, le *kotylai* con scene figurate di Sfingi e Sirene, assegnabili al corinzio tardo, attestano che le importazioni da quella regione della Grecia proseguirono fino al terzo venticinquennio del VI secolo a.C. (tavv. 24 e 25)[63].

Anche da Corinto provenivano le anfore da trasporto, a corpo globulare, facilmente riconoscibili dalla forma e dall'impasto giallognolo misto ad inclusi di colore rosso e grigio (tipo A), destinate a contenere olio.

Notevole è la quantità di ceramiche rodie di stile orientalizzante ritrovate in varie parti di Gela, specialmente *oinochoai* e piatti con scene figurate di cervi pascenti, cigni e cerbiatti.

Dalle officine greco-orientali arrivavano le anfore e le *kylikes* ornate a bande, gli *alabastra*, i *kantaroi* di bucchero nero o grigio, dall'Attica le anfore da trasporto del tipo «SOS»[64]; dalle fabbriche laconiche giungevano, invece, gli *aryballoi* del tipo a tre anelli con fasce paonazze, gli *stamnoi*, i crateri a staffa e i crateri a volute[65].

I prodotti ceramici corinzi, rodii e cretesi furono imitati nelle officine locali; quelli di queste ultime sono facilmente riconoscibili dall'argilla verdognola o rossa e sovente nella sintassi decorativa dipinta ricorrono motivi geometrici e floreali, schematicamente organizzati sulla superficie vascolare.

Anche le importazioni di terracotte ioniche di fabbrica rodia cessarono nella seconda metà del VI secolo a.c., quando ebbe inizio in loco una straordinaria produzione di statuette, che durò fino al 405 a.C. e che, come nel caso dei tipi di divinità femminile, comunemente identificata con Athena Lindia, stante e assisa in trono con il *polos* sul capo e le collane sul petto, si ispiravano a prototipi ionici (tav. 26).

Nel campo della coroplastica gli artigiani gelesi non riuscirono però a raggiungere particolari maturità di gusto e non apportarono significative innovazioni; il più delle volte essi ricorsero a modelli e stilizzazioni di tipi ormai ampiamente ripetuti. Valga come esempio la deliziosa figura di *Kore* con incensiere sul capo, ritrovata sull'acropoli, vestita di chitone *poderés* con *paryphé* e duplice mantello, che si avvolge diagonalmente sul petto (tav. 27). Lo stile del panneggio fa assimilare la statua alle *korai* ioniche, ma i tratti del volto riprendono i modelli locali, ancora legati all'arcaismo e denotano un certo provincialismo ed un'assoluta mancanza di originalità dell'artista, imitatore di modelli della madrepatria, specialmente di quelli in bronzo[66].

Un cenno a parte merita la statua acefala in pietra raffigurante una dea o una devota vestita di chitone ed *himation*, la quale tiene una ghirlanda nelle mani. La statua, sulla quale restano tracce di colore azzurro è una delle rare sculture in pietra restituita dalla Sicilia; fu ritrovata sull'acropoli e si data al 550 a.C. (tav. 28).

Le officine locali ebbero una produzione propria e originale, soprattutto nel campo della decorazione architettonica degli edifici di culto. Alle stesse botteghe geloe va attribuita una classe di oggetti particolari, cioè i coppi con testate semicircolari dipinte, che servivano per ornare i monumentini lignei, *naiskoi*, *bothroi* e fontane di piccola altezza[67].

La pregevolezza e la rarità dei soggetti scelti per le composizioni figurate fanno di questi oggetti dei veri documenti della pittura arcaica. Tra i pezzi più significativi vi è l'antefissa ritrovata sul fondo di una cisterna dell'acropoli; la scena figurata di carattere erotico, con Sileno e Menade, rivela una composizione armonica, sottolineata dalla linea di contorno e ravvivata dal colore rosso, usato anche per indicare i particolari[68] e steso sull'ingubbiatura color crema (tav. 14).

Su una seconda antefissa dell'acropoli era raffigurata con forte senso plastico un'Arpia, presentata di tre quarti (tav. 14); su una terza vi era una scena di donna distesa su *kline* e in atteggiamenti erotici.

Una delle antefisse dipinte più belle in assoluto può essere considerata quella ritrovata nell'Heraion, sulla quale è riprodotto un Sileno, che avanza carponi, con un *rython* nella mano destra e un otre legato sulla spalla; l'originalità della scena, che fa di questo oggetto un piccolo documento della pittura siceliota, è accentuata non solo dalla finezza della linea di contorno, ma anche dall'uso sapiente dei tre colori, crema, seppia e rossiccio, con i quali sono trattati i particolari del disegno (tav. 14)[69].

Le antefisse dipinte di Gela non trovano riscontro nelle altre città dell'isola e, seppure esse richiamano schemi e modelli delle pitture ioniche, sono da considerare certamente oggetti eccezionali, che mostrano l'ottimo livello raggiunto dagli artisti locali, capaci di affrontare anche in uno spazio esiguo, in maniera originale e nuova, temi pittorici complessi.

## Le necropoli

Le necropoli fin dal momento della fondazione della colonia furono ubicate fuori dalla cinta muraria, in Contrada Spina Santa, nel territorio ad est del Gela e ad ovest del centro urbano, nell'area dell'attuale Villa Garibaldi. Già l'Orsi aveva scavato numerosissime sepolture sul versante sud della collina, nella zona compresa tra l'attuale quartiere Borgo, corso Vittorio Emanuele, via dei Cappuccini e nel Predio La Paglia[70]; altre sepolture sono poi venute alla luce nella zona della Villa Garibaldi, dove insiste il parco comunale[71].

Le sepolture arcaiche sono prevalentemente del tipo ad incenerazione entro un anforone o un *pithos* o uno *stamnos*, ovvero ad inumazione entro un grosso recipiente fittile (*enchytrismós*); in genere questo tipo di sepoltura era riservato agli inumati infanti deposti all'interno del vaso (fig. 36). Ma erano comuni anche le sepolture terragne, o in sarcofagi monolitici, mentre sono stati riscontrati casi di aree di cremazioni (ustrina) (fig. 37). I corredi delle tombe più antiche comprendevano ceramiche d'importazione corinzia, rodia e cretese, soprattutto *aryballoi*, *alabastra*, *kotylai*, pissidi, decorati con motivi attinti dal patrimonio vegetale e animale o con motivi geometrici e coprono l'arco cronologico di tutto il VII secolo a.C. (tav. 29). Poche sepolture addirittura si assegnano alla fine dell'VIII secolo a.C. e sono,

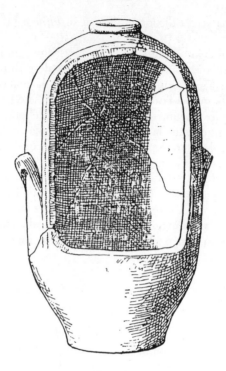

Fig. 36

pertanto, da riferire ai primi coloni. Qualche tomba conteneva tra gli oggetti del corredo ornamenti in oro o in argento, orecchini, anelli e in un caso una *stephane* con decorazione a sbalzo, riconducibile ad oreficerie di Ialisos e Camiro.

Non mancano tra i corredi gli oggetti di produzione locale, soprattutto *kylikes* e pissidi, ben riconoscibili dall'argilla; pezzi davvero straordinari, assegnabili alle officine geloe, possono essere considerati gli *stamnoi* figurati con scene dipinte in bruno entro riquadri risparmiati al centro del vaso e riproducenti animali e grifi (tav. 7).

Le sepolture del VI secolo a.C. spesso erano sovrapposte alle più antiche ed erano ad inumazione in sarcofagi monolitici o fittili, ma sono stati riscontrati casi di sepolture simili a quelle più arcaiche. Moltissime sono le sepolture di infanti deposti dentro un vaso, molte sono le tombe del tipo a cassa fittile, con coperchio a doppio spiovente.

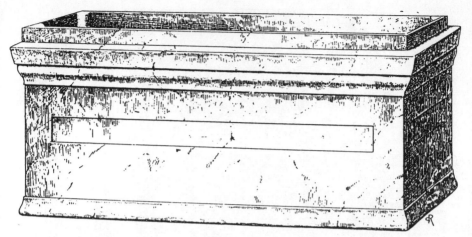

Fig. 37

Se nell'età più antica prevaleva il rito dell'incenerazione, secondo un uso diffuso nella madrepatria, esso andò poi scomparendo nel VI e nel V secolo a.C.

Nei corredi del VI secolo a.C. prevalgono i vasi attici a figure nere, i crateri, le *lekythoi* e le anfore e in alcuni corredi vi erano anche i vasi di officine ioniche, soprattutto anfore e *lydia* decorati a fasce di vernice nera.

Tra i vasi attici sono presenti quelli del Pittore di Gela [72], al quale è attribuibile una *lekythos* a fondo bianco con Apollo e Artemide ai lati di una palma e sotto un portico (tav. 30), e quelli del Pittore di Eucharides, decoratore di una *pelike* del Museo di Gela, con scena di flautisti e guerrieri danzanti [73]; molti sono i vasi del Pittore di Atena 581 e della sua classe, dipinti con scene figurate ispirate dai personaggi del mito e della sagra olimpica [74]. Sono presenti le *lekythoi* della cosiddetta «classe di Phanillis», con figure di guerrieri tra spettatori o di opliti che si congedano (tav. 31) [75], ed ancora i vasi, le *kylikes* e i crateri dei maestri miniaturisti, con scene di personaggi raffigurati entro piccoli fregi.

Le necropoli del V secolo a.C. si estendevano anche nel settore più occidentale della collina, a Capo Soprano e a Piano Notaro, e avevano tipologie tombali del tutto simili alle precedenti, anche se tra i sarcofagi monolitici sono da annoverare quelli decorati agli angoli da colonnine a rilievo o dipinte (fig. 38), appartenenti evidentemente a per-

Fig. 38

sone di ceto elevato. I corredi delle sepolture di tale periodo erano costituiti da vasi attici a figure rosse[76].

Molte tombe delle necropoli gelesi furono profanate nel secolo scorso e i vasi dei loro corredi finirono nei musei italiani ed esteri e parecchi anche nelle collezioni di privati. Proprio in quel periodo si formarono le collezioni del marchese Mallia, andata poi dispersa, quella del barone G. Navarra[77], acquisita dal Museo di Gela, quella della famiglia Nocera.

Al Museo di Palermo confluì, invece, la Collezione Campolo.

# IV.
# Il periodo della tirannide (505-478 a.C.)

Se il VII e il VI secolo a.c. avevano visto Γέλας protagonista di un progetto espansionistico finalizzato al dominio di una vasta area territoriale della Sicilia, il periodo successivo fu determinante per l'affermazione politica della città, che rivolse le sue mire alla conquista delle regioni settentrionali e orientali dell'isola, giungendo ad imporre la sua egemonia finanche su Siracusa e sulle colonie calcidesi, Leontini, Callipoli, Nasso e per ultima Zancle, dalla quale poteva essere tenuto sotto controllo lo Stretto[1].

Artefici di questo grandioso progetto espansionistico furono inizialmente Cleandro e Ippocrate, due tiranni che posero le basi di una nuova forma di governo, emergendo all'interno di un regime oligarchico già esistente, mentre in Sicilia le tirannidi di Panezio a Leontini e di Falaride ad Akragas avevano segnato le scene politiche dei decenni precedenti. Di origine aristocratica, figli di Pantares, che aveva vinto ad Olimpia nel 512 e nel 508 a.C. la corsa dei carri a quattro, Cleandro e Ippocrate governarono a Gela uno dopo l'altro dal 505 al 491 a.C. circa. Del primo disponiamo di poche notizie che non ci illuminano sugli avvenimenti svoltisi durante il periodo in cui egli restò in carica; ma il suo fu un interludio di breve durata perché, dopo sette anni, fu assassinato dal geloo Sabillo e il governo venne assunto da Ippocrate, progettista insieme al fratello del disegno di conquista di nuovi territori, per il cui conseguimento era stato determinante il potenziamento dell'esercito e specialmente della cavalleria; a tale scopo erano state utilizzate per l'allevamento dei cavalli le estese pianure che cingevano a settentrione la città di Gela[2].

L'avvento di Ippocrate al governo non fu cosa semplice; infatti, il tiranno dovette sostenere una pur breve guerra civile, nella quale trovò l'appoggio leale di Gelone, discendente da Teline, il quale, come abbiamo avuto occasione di trattare nel capitolo precedente, ebbe un ruolo determinante nelle vicende della plebe geloa oppressa dai *gamóroi*[3].

La tirannide di Ippocrate coincise per Gela con l'inizio di un momento di grande splendore sia dal punto di vista politico, militare ed economico, come pure sotto l'aspetto della produzione artistica, urbanistica e architettonica.

Il progetto politico di questo geniale tiranno, che in parte si può seguire anche grazie alle notizie della tradizione letteraria[4], aveva l'obiettivo di unificare sotto l'egemonia geloa la parte orientale della Sicilia, fino allo Stretto, cercando di porre un freno all'espansione del tiranno reggino Anassilao.

E per raggiungere il suo obiettivo, Ippocrate dovette avvalersi anche dell'apporto di truppe mercenarie, composte sicuramente da elementi indigeni, ormai assoggettati dai Greci, ma non del tutto ancora integrati con questi ultimi. Fu forse per il pagamento delle truppe che vennero emesse le prime monete battute su piede euboico-attico, cioè i didrammi d'argento con i tipi del cavaliere all'assalto e della protome del toro androcefalo nello schema della «corsa in ginocchio» e la leggenda CEΛA o CEΛAΣ (tav. 32). Queste emissioni monetali sono indicative della prosperità della città[5].

Se la sottomissione di molti barbari e la conquista di Leontini, Callipoli e Naxos non riuscì difficile ad Ippocrate, che anzi costrinse tali città a legarsi a lui con un'alleanza militare (*symmachía*), più complesse appaiono le vicende legate alla occupazione di Zancle, anche perché connesse a fatti di politica estera, sulle quali avevano inciso da un lato le ambizioni espansionistiche di Anassilao di Reggio e dall'altro l'arrivo di immigrati di Samo, costretti ad allontanarsi dalla loro patria per sfuggire alla sovranità persiana. Certo è comunque che Ippocrate, dopo aver affidato Zancle a Scite, un principe di Cos, suo fedele, strinse un patto con i Samii, i quali, su esortazione di Anassilao, si erano stanziati nella città calcidese, approfittando di una momentanea assenza dello stesso Scite per impadronirsene[6]. Quest'ultimo e gli Zanclesi chiesero aiuto a Ippocrate, il cui primo provvedimento fu quello di fare arrestare Scite, colpevole di non essere riuscito a difendere la città. Ma Scite riuscì a fuggire prima a Himera e poi alla corte persiana di Dario, mentre Ippocrate lasciò Zancle ai Samii, in cambio di metà dei beni mobili e degli schiavi presenti in città e nel territorio. Successivamente Ippocrate organizzò la grande impresa della conquista di Siracusa perché egli era ben consapevole che l'occupazione di una simile base gli avrebbe assicurato il possesso di una considerevole forza navale per avere il controllo dello Stretto.

Solo l'intervento nel 492 a.C. della madrepatria Corinto e della sua colonia Corcira (Corfù) riuscì ad evitare che i Geloi sconfiggessero Siracusa, che era stata già vinta nella battaglia condotta sull'Eloro; ma ad Ippocrate, in cambio del rilascio dei Siracusani caduti prigionieri nel predetto scontro, fu ceduta Camarina, precedentemente da lui stesso distrutta e conquistata, la quale venne ripopolata con nuovi coloni ed affidata ad un tiranno di sua fiducia: Glauco di Caristo[7].

Già durante gli ultimi anni del governo di Ippocrate molte città della Sicilia erano sotto il suo controllo per mezzo di uomini di sua fiducia: a Leontini era stato insediato Enesidemo e a Zancle Cadmo, figlio di Scite. Le ultime imprese del grande uomo politico geloo furono condotte contro i Siculi per reprimere i focolai di rivolta, che andavano sviluppandosi alle spalle del territorio greco. Nel 491 a.C. Ippocrate distrusse Ergezio, centro siculo nel territorio di Leontini, avvalendosi anche dell'aiuto di truppe fornite da Camarina. Ma subito dopo, combattendo presso Ibla, centro sulle pendici dell'Etna, il sovrano trovò la morte.

Di questo evento approfittò Gelone, prima per prendersi cura dei figli del suo predecessore, Euclide e Cleandro, e poi per imporre il suo potere, che si rafforzò anche per l'alleanza stretta con Terone, tiranno di Agrigento del quale aveva sposato la figlia Demarete e al quale aveva dato in moglie la nipote, figlia del fratello Polizelo.

Gelone faceva parte della famiglia dei Dinomenidi, originaria dell'isola di Telos nel Dodecanneso[8], aveva vinto nel 488 a.C. la gara dei carri ad Olimpia[9]. Aveva fatto parte, insieme ad Enesidemo, delle guardie del corpo (*doryphóroi*) di Ippocrate, il quale, proprio per il suo valore, gli aveva affidato il comando della cavalleria, punto forte dell'esercito geloo. Gelone era animato da grandi ambizioni. Le occasioni per emergere non tardarono ad arrivare ed intromettendosi nelle vicende politiche siracusane, in un momento in cui la città intorno al 485 a.C. era dilaniata dalle lotte tra *kyllýroi* e *gamóroi*, rispettivamente servi della gleba e aristocratici di estrazione terriera[10], Gelone riuscì ad ottenere il controllo della situazione decidendo, anzi, di risiedere a Siracusa affidando Gela al fratello Ierone. Da Siracusa poteva essere controllata la costa ionica anche perché all'impero geloo era stata sottratta Zancle da Anassilao.

Il trasferimento dei Dinomenidi nella grande città della costa ionica comportò un parziale spopolamento di Gela[11], i cui abitanti andarono ad incrementare la nuova sede scelta dal tiranno, il quale, nel giro di pochi anni, non solo era riuscito ad estendere a dismisura la sua potenza (ἄρχων Σικελίης), ma a fare di Siracusa una metropoli, nella quale convivevano abitanti corinzi, rodio-cretesi, calcidesi e megaresi di Megara Iblea, da lui sottomessi. La fama di Gelone si accrebbe tanto da indurre la Grecia a chiedere nel 481 a.C. il suo intervento contro i Persiani[12]. Il diniego di aiuto alla madre patria, motivato dal mancato ottenimento di progetti ambiziosi, può essere spiegato con lo scarso interesse di Gelone ad affrontare il popolo persiano, dal quale non gli veniva alcuna minaccia, mentre egli si lasciò coinvolgere da Terone nel grande evento della guerra contro i Cartaginesi.

Lo scontro tra i due popoli, che, a detta di Erodoto[13], avvenne nello stesso giorno in cui si combatteva la battaglia di Salamina (480 a.C.), vide la sconfitta dei barbari e la proclamazione di Gelone ad eroe.

Su quest'ultimo le cronache hanno lasciato molte notizie, che consentono di ricostruirne la figura di uomo pietoso e buono[14] e le vicende più importanti, che segnarono il corso della sua vita, già da quando, ancora bambino, era sopravvissuto ad un terremoto uscendo dalla scuola per inseguire un lupo e fino al momento della sua morte, accolta con rammarico dal popolo siracusano, che partecipò in massa ai suoi funerali.

Anche gli anni di governo di Gelone segnarono per Gela uno dei momenti più importanti; a quel tempo risale l'emissione dei tetradrammi d'argento (tav. 33*a*) che recano sul dritto una figura di cavaliere e sul rovescio la protome di un toro androprosopo in corsa[15]; dopo l'esperienza monetaria siracusana la città coniò tetradrammi con le impronte della quadriga e del toro, del peso di g 16,89, sempre su piede euboico attico[16] (tav. 33*b*).

Vennero coniati anche valori inferiori come dracme (D/cavaliere, R/toro androprosopo dimezzato, legenda ΓΕΛΟΙΟΝ), oboli (D/toro androprosopo dimezzato, legenda ΓΕΛ, R/ruota) *hexantes* (D/testa equina, R/marca di valore).

Ma l'intera Sicilia, grazie alla lungimirante e strategica politica dei Dinomenidi, attraversò anni di prosperità. Con l'indennità pagata dai Cartaginesi e con il bottino ricavato dalla guerra furono intrapresi in Sicilia i grandi cantieri edili per la costruzione degli edifici di culto, che avrebbero potuto testimoniare nel tempo la superiorità del popolo greco[17].

Fu proprio in quegli anni che vennero eretti l'Athenaion di Himera, il Tempio E di Selinunte, l'Olimpeion di Agrigento, l'Athe-

naion di Siracusa e forse allora venne edificato a Gela il nuovo grande
tempio dorico, nel settore meridionale dell'acropoli del quale parle-
remo appresso.

## L'acmé di Gela: i rapporti commerciali con la madre patria e le altre città dell'Egeo. La nave greca: importazioni ed esportazioni. La circolazione monetale

Nel primo venticinquennio del V secolo a.C. la città aveva un ruolo
politico ed economico di primo piano che le consentiva di essere inserita nei traffici commerciali del Mediterraneo al pari di altre potenze marinare, insieme alle quali gestiva la rete degli scambi dei prodotti pregiati e di facile consumo.

A Gela confluivano le merci pregiate provenienti dai mercati del-
l'Egeo e dell'Attica e proprio a Gela stava per giungere in quel tempo
una nave greca, la quale, forse per le cattive condizioni meteomarine,
affondò davanti alle sue coste.

Dopo quasi 2500 anni l'imbarcazione è stata individuata nel 1988 a
800 metri dalla costa di Gela, nel tratto di mare antistante l'emporio
antico di Bosco Littorio. Con diverse campagne di scavo subacqueo è
stato possibile recuperare la merce trasportata a bordo, ma anche stu-
diare le caratteristiche strutturali di una nave mercantile, una delle
poche, in così buono stato di conservazione, ritrovate nelle acque
del Mediterraneo[18].

Al momento del suo ritrovamento la nave giaceva al di sotto di uno
spesso strato di pietrame di varia forma e origine che faceva parte
della zavorra, caricata a bordo al posto della merce lasciata nei vari
porti raggiunti e destinata a mantenere stabile l'equilibrio.

Dell'imbarcazione si conserva la parte inferiore dalla chiglia in su
per un'altezza massima di m 1,30 rilevata nelle zone di poppa e di
prua; essa è lunga quasi 17,40 metri ed al centro ha una larghezza
di m 6,40 (tav. 34). Tipologicamente è classificabile tra quelle costruite con il metodo cosiddetto a «guscio», consistente nel realizzare prima la struttura esterna galleggiante, all'interno della quale veniva poi incassata l'orditura lignea dei madieri[19].

Struttura portante della nave di Gela è perciò il fasciame, formato
da tavole di pino di diversa larghezza, del quale si sono mantenuti perfettamente intatti quattro corsi della parte centrale; essi costituiscono
quindi il guscio nel cui interno risultano poggiati trasversalmente 17

robusti madieri in legno di quercia, che erano saldati alle tavole del fasciame per mezzo di lunghi chiodi in ferro o in rame, ancora infissi negli elementi lignei.

Le tavole del fasciame erano cucite tra di loro con corde vegetali fatte passare attraverso fori ricavati obliquamente e convergenti verso i bordi inferiori dei comenti, dove erano bloccate da cavigliette lignee.

Del tutto particolare è la tecnica della nave realizzata con il sistema della cucitura delle tavole; per la sua costruzione era stato cioè usato un metodo alquanto caratteristico, ma non raro e adottato già da molti secoli, come ad esempio per la nave di Cheope risalente al III millennio[20].

Anche Omero ricorda navi di questo tipo accennando nell'Iliade ad un episodio singolare delle navi dei Greci, le quali per il protrarsi della guerra di Troia si erano rovinate, in quanto le cuciture si erano sfatte.

Navi tipologicamente assimilabili all'esemplare gelese sono state ritrovate anche in altri punti del Mediterraneo e si distribuiscono in un arco di tempo che va dall'età arcaica (relitti del Bon Portè e di Marsiglia)[21], al V secolo a.C. (relitto di Israele e nave di Kyrenia)[22], ad età romana e medievale (nave di Valle Ponti presso Comacchio, relitto di Cervia e nave di Nin in Jugoslavia)[23].

L'elemento più evidente dello scafo di Gela è il paramezzale in legno di quercia, che percorre longitudinalmente al suo interno lo scafo stesso, incastrandosi sopra i madieri e contribuendo ad irrobustire la struttura lignea. Su di esso si innesta la scassa dell'albero, larga cm 58, affiancata da due larghi legni arrotondati e sagomati all'estremità, ed incisa sulla superficie da fori rettangolari e circolari, destinati sia all'alloggiamento del piede dell'albero maestro, sia all'inserimento di tavole e puntelli di guida per le manovre di abbattimento e sollevamento dell'albero. Tutta la nave era stata impermeabilizzata all'interno con pece e per proteggere le merci delicate era stata stesa, probabilmente sul pagliolato, una stuoia di fibre vegetali, della quale sono state ritrovate larghe porzioni ormai logorate nei settori di poppa e di prua.

La nave trasportava un carico di merce pregiata residua, ma molto consistente. Di esso fanno parte anfore destinate al trasporto dell'olio e del vino, cesti intessuti con fibre graminacee, trattenuti sul bordo da manici lignei e impeciati all'interno[24], forse perché dovevano contenere viveri per l'equipaggio, ovvero derrate alimentari da vendere nei porti toccati.

Tra le anfore vi sono soprattutto quelle chiote, che contenevano il famoso vino di Chio[25], tanto decantato dai poeti greci e prodotto intensamente in quell'isola almeno fino al V secolo a.C.

Vi sono poi anfore puniche, alcune di tipo lesbio[26], e poche di produzione attica; diverse sono quelle di tipo greco orientale, samie o clazomenee[27]; molte sono, invece, le anfore di tipo massalioto[28], destinate probabilmente al trasporto del vino marsigliese, del quale gli autori antichi vantavano la prelibatezza: basti ricordare che ancora in età romana Columella asseriva che tale prodotto era tanto pregiato da essere destinato a pochi intenditori e poteva essere gustato al massimo in tre persone.

Per il trasporto dell'olio erano state usate soprattutto anfore corinzie, di tipo A[29], o di tipo B[30], secondo la classificazione data dagli archeologi.

La diversità tipologica delle anfore recuperate sul relitto, piuttosto che fare ipotizzare una rotta unica dall'Egeo a Gela, rende credibile l'ipotesi di scali in diversi porti nei cui emporia venivano immagazzinate merci varie, pronte per essere caricate dalle navi di passaggio, che prelevavano i prodotti per soddisfare le richieste dei mercati.

A bordo vi era inoltre parte di un carico da considerare pregiato e comprendente quattro arule fittili di forma rettangolare, piatte sulla superficie e sulla parte posteriore, decorate con vari motivi dipinti in bruno sulla parte frontale, sagomata: alla base sono ornate da un fregio campito da un motivo ad onda continuo, al centro da un fregio continuo di palmette a sette foglie e sul loro coronamento è distribuito un fregio di foglie contornate dal colore bianco (tav. 38 *a*).

Questo tipo di oggetti non trova confronti con materiali di ambiente siceliota e magno-greco ed essi sono piuttosto da riferire ad ambito peloponnesiaco, per cui è probabile che la nave avesse fatto scalo anche in un porto di quella regione della Grecia.

Tra i materiali di pregio trasportati a bordo vi erano anche un tripode bronzeo, sostenuto da zampe leonine, sul quale doveva essere poggiato un lebete, un'*oinochoe* a figure nere con scena di Athena che atterra il gigante Encelado (tav. 35), una *lekanis* a figure nere, frammentaria, sulla quale è raffigurato un personaggio retrospiciente, ammantato, e con petaso sul capo. Vanno evidenziati inoltre cinque *askoi* miniaturistici, due dei quali a vernice nera[31] (tav. 36), e tre *askoi* a figure rosse, con scene dipinte sulla parete superiore, attribuibili ad un artista vicino alla scuola di Epiktetos, pittore attivo nel decennio tra il 490 e il 480 a.C.[32] (tav. 37). Sul primo *askos* sono rappresentati due giovani banchettanti recumbenti e con il gomito poggiato sul cuscino (tav. 37 *a*).

La scena del secondo *askos* è composta da due Sileni ebbri ed ignudi, nell'atto di fare libagioni tenendo una *phiale* con la mano destra (tav. 37 *b*); sul terzo, invece, sono raffigurati un Sileno ed una Menade, ignudi, mollemente distesi su un cuscino e libanti (tav. 37 *c*). Nella fascia esterna alla scena figurata dei due primi *askoi* sono leggibili rispettivamente le iscrizioni εποιεσεν καλο ed εποιεν.

La nave trasportava inoltre coppe di tipo ionico, *skyphoi* a vernice nera con bande di colore bianco, ciotoline a saliera, coppette, lucerne a vernice nera, un colino bronzeo con la parte terminale del manico configurata a testa di anatra; e poi ancora un cinghialetto fittile (tav. 38 *b*), un flauto fittile, il braccino di una statuetta in legno di ulivo (tav. 38 *c*), con tracce di metallo nel pugno della mano, probabilmente pertinente al simulacro di una divinità, forse Athena o Poseidone[33].

La presenza di alcuni oggetti particolari, quali le arule fittili, il cinghialetto, il tripode bronzeo, gli *askoi*, vasi questi destinati al contenimento di unguenti, nonché il braccino della statuetta hanno fatto sorgere il sospetto che sulla nave potessero svolgersi cerimonie religiose per ingraziarsi gli dei durante la navigazione.

Non stupisce, invero, l'ipotesi di cerimonie fatte in onore di divinità allo scopo di sollecitarne la protezione con preghiere e l'offerta di sacrifici, ad esempio di Era, di Artemide, di Athena, ovvero di Poseidone, il protettore del mare per antonomasia. La tradizione letteraria, che fa capo a Tucidide, a Plinio, a Arriano, a Epiktetos, a Pausania, ha lasciato il ricordo di episodi di divinità legate con la navigazione, ovvero con cerimonie fatte prima della partenza delle navi, sia per spedizioni militari che mercantili, per propiziarsi gli dei; addirittura modellini di navi, calici di vino e fiori venivano lanciati in mare prima della partenza[34].

Ed è logico pensare che i marinai costretti ad affrontare lunghi viaggi ricorressero a cerimonie sulla nave durante la navigazione senza attendere di raggiungere la terraferma per fare sacrifici.

Ma qual era la divinità onorata sulla nave di Gela? Ad Athena o a Poseidone potrebbero fare pensare le tracce del metallo chiuso nel pugno della mano della statuetta lignea, riferibili forse ad una lancia o ad un tridente, ma si potrebbe avanzare anche l'ipotesi di Dioniso, divinità notoriamente legata al mare, la cui mitica traversata veniva celebrata durante le annuali *anthesteria*, quando il simulacro del dio veniva portato in processione sul *carrus navalis*, dal rostro configurato a testa di cinghiale[35].

Non può essere peraltro esclusa l'ipotesi che tali particolari oggetti, pur avendo avuto una temporanea particolare destinazione, potessero poi essere venduti come generi di lusso, una volta che la nave toccava la terraferma.

Altri oggetti della nave hanno permesso anche di conoscere aspetti particolari della vita di bordo, dove il tempo trascorreva in maniera di certo non monotona, allietato dal suono del flauto, mentre uno stilo in osso suggerisce che a bordo potesse essere scritto un diario utilizzando tavolette lignee spalmate di cera[36].

Ma dalla nave di Gela sono emersi elementi importantissimi per la ricostruzione delle rotte commerciali e dei rapporti intercorrenti tra le città del Mediterraneo. I materiali ritrovati consentono di affermare che la colonia rodio-cretese intratteneva scambi con l'Attica, dalla quale venivano importati gli oggetti a vernice nera e figurati, e con altre regioni della Grecia.

Ma la rotta di cabotaggio seguita dalla nave era stata certamente più articolata e aveva previsto scali anche in altri porti e dell'Italia e della Sicilia per lasciare anche lì parte del suo carico.

Volendo ricostruire almeno un tratto della rotta seguita nel Mare Ionio, possiamo ipotizzare uno scalo lungo le coste orientali della Sicilia, perché erano presenti tra la zavorra pietre laviche, tipiche di quell'area geografica dell'isola. È probabile quindi che il mercantile greco diretto in Sicilia abbia potuto caricare negli emporia dei porti toccati durante il viaggio parte dei prodotti da smerciare anche a Gela, tra i quali il vino e l'olio destinati alla mensa dei cittadini delle classi abbienti, che potevano permettersene l'acquisto.

Dalla città sicuramente si esportavano cereali e grano, generi di cui essa ha sempre vantato, insieme ad altre città della Sicilia, il primato di produzione; basti pensare che Gelone aveva rifornito di grano la Repubblica romana che, impoverita dalle guerre plebee, aveva avuto un calo nella produzione del prodotto[37] e quando gli era pervenuta la richiesta di aiuto dalla Grecia, impegnata nelle guerre persiane, egli aveva offerto non solo 200 navi, 20 000 opliti, 2000 cavalieri, 4000 tra arcieri e frombolieri, ma anche le riserve di grano per tutto l'esercito e per tutta la durata della guerra, in cambio della sua elezione a capo delle truppe alleate[38]. Se le cifre riportate nel testo erodoteo appaiono esorbitanti, esse però ci danno però un'idea approssimativa della ricchezza economica della Sicilia e della famiglia dei Dinomenidi, perché quasi certamente anche da Gela sarebbero stati attinti i generi alimentari e le milizie da inviare in Grecia.

Per mezzo delle navi mercantili giungevano a Gela i meravigliosi vasi attici a figure nere e a figure rosse, prodotti nelle officine attiche tra il VI e il V secolo a.C. e recuperati nei corredi delle tombe scavate nelle varie zone del territorio urbano ed extraurbano della città, molti dei quali sono esposti nel locale Museo Archeologico e nei Musei Regionali di Palermo e di Siracusa, dove confluirono a seguito degli scavi condotti tra la fine del secolo scorso e gli inizi del secolo attuale.

Tra i pittori di vasi attici prediletti dal mercato geloo figurano, ad esempio, il Pittore di Edimburgo e il Pittore di Saffo, decoratori di vasi a figure nere; del primo è famosa una *lekythos* con scena di Hermes che assiste Eracle in una delle sue fatiche[39]; del secondo, invece, va ricordata la *lekythos* con Medea «cuocitrice di uomini», conservata al Museo di Siracusa[40]; dello stesso Pittore di Saffo è una *lekythos* del Museo di Gela con Athena armata, che assale un Gigante[41].

Pregevoli sono le *lekythoi* a fondo bianco del Pittore di Edimburgo, esposte al Museo di Gela, una delle quali riproducente un episodio dell'Iliade (Aiace che insegue Cassandra alla presenza di Priamo) (tav. 39)[42] e l'altra con Eracle nel giardino delle Esperidi[43].

Presenti con diversi vasi a figure rosse sono Makron e il Pittore della Centauromachia di Firenze, artisti di alta qualità, attivi rispettivamente tra il 490 e il 470 e tra il 480 e il 460 a.C. e le cui produzioni risultano largamente esportate nel bacino dell'Egeo.

Diversi sono poi i vasi del Pittore di Haimon[44], del Pittore di Emporion[45], del Pittore di Tithonos[46], del Pittore dei Porci[47], del Pittore di Berlino, uno dei più grandi ceramografi dei primi decenni del V secolo. A quest'ultimo è attribuita una *lekythos* a figure rosse ritrovata a Gela, oggi al museo di Siracusa, con scena di Trittolemo su carro alato[48], personaggio mitico strettamente legato al culto di Demetra, in relazione alla coltivazione dei campi. Al Pittore di Tithonos è stata assegnata la *lekythos* del Museo di Gela, con scena di Nike davanti ad un altare (tav. 40).

Di Brygos è, ad esempio, la bellissima *lekythos* policroma a fondo bianco con scena di Enea ed Anchise (tav. 41)[49], appartenente alla Collezione Navarra, costituita da centinaia di vasi attici a figure nere e a figure rosse delle migliori firme di artisti greci, a molti dei quali abbiamo appena accennato.

Sempre allo stesso Brygos è stata assegnata una *lekythos* con Eros che tiene la *lyra* eptacorde[50], pur essa della Collezione Navarra[51].

Anche le opere del famoso ceramografo Myson sono attestate a Gela; ad esso si è attribuita la *pelike* a figure rosse conservata nel Museo di Siracusa (tav. 42)[52] con la raffigurazione sul lato principale di una scena con donna danzante davanti ad una cesta piena di falli — evidente simbolo di fertilità — ispirata alle feste Haloa, che si tenevano ad Eleusi tra la fine di dicembre e gli inizi di gennaio[53].

Del Pittore dei Porci è la splendida *pelike* del Museo di Gela con Teseo che uccide il Minotauro (tav. 43).

Tutti questi vasi offrono la prova degli stretti rapporti che legavano Gela alla Grecia e della ricchezza dei Geloi, che con gusto raffinato sceglievano le opere migliori dei ceramisti dello stile severo e dello stile protoclassico.

Peraltro i rapporti con l'Attica dovettero improntare la politica economica di Gela per tutto il corso del V secolo a.C. e sono attestati anche dai ritrovamenti di tesoretti di monete, specialmente tetradrammi della zecca ateniese, avvenuti non solo nella città, nel santuario della zona dell'ex scalo ferroviario, che ne conteneva 190 (D: testa di Athena, di profilo a sinistra; R: la civetta nel quadrato incusso)[54], ma anche nei centri dell'entroterra, quali Monte Bubbonia[55] e Santa Caterina di Villermosa[56]; essi possono spiegarsi con la richiesta ateniese di fornitura di grano, fortemente diminuito dopo la chiusura dei mercati del Ponto, a seguito delle guerre persiane. A tal proposito basterà accennare ad un passo di Tucidide, il quale, parlando delle guerre del Peloponneso, ricorda l'obbligo fatto dal governo ateniese alle navi frumentarie straniere di passaggio al Pireo di vendere almeno due terzi del carico[57].

E certamente una fonte di approvvigionamento di frumento per la grande metropoli ateniese dovette essere il territorio gelese, da sempre considerato grande bacino granario.

Sia Atene che le altre potenze marinare della madre patria dovettero avere intrattenuto rapporti commerciali con Gela, che rivestiva un ruolo di primo piano tra il VI e il V secolo a.C.

Questa prosperità si manifestò particolarmente nel vasto programma di opere pubbliche, che si estrinsecò nella ristrutturazione urbanistica e architettonica dell'acropoli e che fu avviato grazie alla lungimirante politica dei tiranni avvicendatisi al governo della città.

E proprio nella prima metà del V secolo a.C. i Geloi trasformarono il *thesauros* precedentemente dedicato nel santuario di Olimpia, secondo uno schema che richiamava i sacelli dell'acropoli.

## Il programma urbanistico e architettonico
## e la produzione artistica

Il rinnovamento urbanistico si coglie soprattutto attraverso la documentazione archeologica dell'acropoli, dove venne completata l'organizzazione dell'impianto urbano con il tracciato di altre strade parallele con orientamento nord-sud, larghe m 4 circa e distanti l'una dall'altra m 3,50; i 6 *stenopoi* fino ad oggi indagati si attestano perpendicolarmente ad un'unica strada, la *plateia*, che, attraversando la fascia sommitale e centrale della collina in senso est-ovest, isolava nettamente gli spazi destinati agli edifici di culto maggiori, disposti fin dalla fondazione della città sulla piattaforma meridionale dell'altura rivolta verso il mare (fig. 22). L'impianto di nuova realizzazione, che interessava il pendio terrazzato del lato settentrionale della collina, in parte accennato nel VI secolo a.C., era di tipo ortogonale e rispondeva ad un disegno preordinato, scaturito in concomitanza con altri centri dell'isola, dall'esigenza di riordinare l'assetto urbanistico degli isolati per evitare che essi si sviluppassero senza un preciso ordine.

Gli studiosi si sono chiesti[58] se il totale rinnovamento riscontrabile sull'acropoli possa essere seguito ad una precedente distruzione del sito, della quale vi è traccia negli strati di bruciato e cenere sovrapposti sugli impianti del VI secolo a.C.

Tre nuovi sacelli (A, B, C) sorsero in sostituzione di quelli arcaici, dei quali conservarono l'allineamento e l'orientamento, ma essi ebbero strutture perimetrali di blocchi squadrati di calcarenite e uno schema planimetrico quadrangolare, come ad esempio il sacello B, con ambienti più larghi che profondi (fig. 23)[59]. Ma altri edifici dell'età precedente furono allora restaurati e riadattati al nuovo impianto urbanistico, per cui in alcuni furono addirittura spostati gli ingressi lungo il lato prospiciente alla strada; un esempio è costituito dall'edificio VIII[60], nel settore orientale della collina, nel quale vennero rifatti i lati sud e nord con l'impiego di materiale di risulta e prolungati gli altri due, sicché quello occidentale si estese fino al margine dello *stenopos* VI.

Particolare è l'edificio XII, che subì modifiche anche successivamente: a pianta rettangolare e con un piccolo *adyton* su un lato, prospettava con il suo lato occidentale sullo *stenopos* III (fig. 39)[61].

Gli edifici di culto ricevettero una nuova sistemazione con una

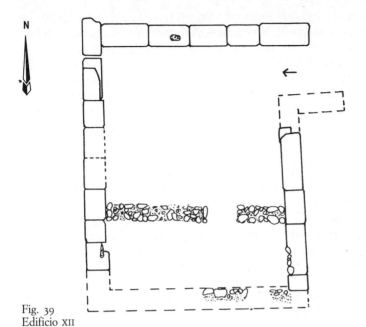

Fig. 39
Edificio XII

ricca decorazione architettonica, testimoniata dalle cassette e dalle sime fittili riccamente dipinte e dalle antefisse sileniche, che ne ornavano i lati lunghi e che sono state ritrovate in maniera copiosa durante gli scavi[62]. Questo tipo di antefissa, diffusa anche nei centri dell'entroterra, mostra il volto del Sileno incorniciato dai capelli disposti attorno al cranio calvo e ai lati delle orecchie equine, al di sotto delle quali sporge la fitta barba; il forte impressionismo che caratterizza la maschera del semidio, accentuato dalle rughe della fronte, dalle ciglia aggrottate, dal naso camuso, e dai folti bassi spioventi sopra le labbra, fa di questo esemplare e delle numerose sue varianti una delle manifestazioni più elevate della plastica siceliota.

Valgono ad esempio le antefisse con tale soggetto che decoravano le testate dei coppi di uno dei sacelli del santuario dell'area di Molino di Pietro, che, proprio nella prima metà del V secolo a.C., fu ricostruito in seguito ad un incendio. Le antefisse sileniche dell'edificio, in tre diversi esemplari, possono essere ritenute per la loro forma non solo elementi decorativi, ma plastici; essi aggettavano dal coronamento dell'edificio, con notevole inclinazione verso il basso, talché sembrava che incombessero sui passanti (tav. 44). Il volto del Sileno non era più visto come una maschera demoniaca, ma pervasa di potenza espressiva, dove la natura istintiva, quasi bestiale, e la razionalità intelligente del semidio erano fuse in un'armonica visione, che eliminava i tratti brutti e selvaggi, da sempre fatti emergere nelle manifestazioni plastiche e pittoriche. E nelle tre varianti geloe il Sileno è rappresentato con la fronte segnata da poche rughe, la bocca semisocchiusa, che lascia intravedere i denti non più digrignanti, e con un'espressione «calma e maestosa», che non incuteva terrore. La nuova visione del Sileno era maturata ed era stata realizzata nelle officine geloe, che con queste creazioni hanno offerto nuovi modelli figurativi e tipologici, giustamente considerati tra i capolavori della plastica del secolo[63].

A riprova dell'opulenza architettonica e artistica della città valgono i gruppi acroteriali fittili equestri rinvenuti al di sotto delle macerie di un edificio dell'acropoli in blocchi di pietra[64] che avevano sostituito un gruppo simile di età arcaica, pur esso ritrovato in frammenti.

I due gruppi acroteriali, datati dallo scopritore al primo quarto del V secolo a.C., dovevano essere composti da un cavallo a tutto tondo, sostenuto da una sfinge e sormontato dal cavaliere (tav. 45). Essi sono delle vere statue equestri, più complete rispetto ai gruppi simili arcaici dei *kalypteres* posti sul colmo del tetto dei sacelli e, pur trovando un precedente in prototipi più antichi di Camarina e della stessa acropoli di Gela, costituiscono una delle manifestazioni più innovative e fresche della plastica siceliota, che anticipava così la produzione di Locri Epizefiri, ma che aveva avuto una variante interpretativa in ambiente indigeno, la cui eco più immediata si coglie nella decorazione acroteriale di un modellino di tempietto fittile da Sabucina[65].

Di un gruppo acroteriale equestre faceva parte la bellissima e ben nota testa fittile di cavallo dal modellato asciutto, impregnato di plastico realismo, che si manifesta soprattutto nel rendimento dei tratti della testa e nelle fitte ciocche della criniera (tav. 46). Questo magnifico reperto, trovato sul fondo di una cisterna[66], mostra l'alto livello artistico raggiunto nella prima metà del V secolo a.C. negli *ateliers* geloi, capaci di proporre un repertorio originale di sculture, che sono tra gli esempi più notevoli della produzione plastica siceliota affermatisi accanto alle grandi opere importate dalla Grecia. Giustamente la testa di cavallo è stata assimilata a quella riprodotta sui didrammi geloi ed inquadrata cronologicamente nel primo venticinquennio del V secolo a.C.

Anche le statuette e le suppellettili fittili prodotte in questo periodo per essere dedicate nei santuari, mostrano una varietà tipologica notevole, frutto di una capacità artistica in grado di eseguire modelli figurativi complessi e originali, e comprendono figurine fittili di offerenti e di Athena Lindia, assisa in trono, con collane sul petto e *gorgoneion*, di tipo ormai prettamente atticizzante, ovvero con il *polos* fornito di cimiero, la lancia e il corpo avvolto dal vestito in cui sono appena accennate le pieghe (tav. 47)[67].

Un pezzo significativo, che mostra l'alto livello degli *ateliers* geloi, può essere considerato la splendida testa di *Kore* con *calathos* sovrapposto; quest'ultima, ad esempio, come giustamente ha sottolineato lo scopritore[68], pur datandosi alla fine del V secolo a.C., è tratta da una matrice più antica, ispirata dalle sculture greche in pietra e in marmo, alle quali richiamano ad esempio la struttura solida e il modellato compatto del suo volto (tav. 48).

E tornando ai complessi architettonici realizzati sotto la tirannide non possiamo non trattare del grande tempio dorico, che venne innalzato sull'acropoli nella prima metà del V secolo a.C.

## Il tempio dorico C (Athenaion)

Del grande edificio sacro, oggi denominato tempio C, non resta che una colonna dorica ricostruita per anastilosi da P. Orsi all'inizio del secolo[69].

Le strutture dell'edificio, infatti, furono smontate progressivamente dopo la rifondazione federiciana di Gela; fino a quell'epoca le sue colonne e il basamento dovevano ancora esistere ed infatti, proprio per la loro presenza, il fiume Gela meritò l'appellativo di *Wâdi 'as sawârî*, ovvero «fiume delle colonne» e nella prima metà del XIII secolo Guido delle Colonne, parlando della fondazione di Terranova, accennava a quegli avanzi del tempio, che riferiva ad Ercole[70].

Nell'Ottocento gli scritti del Costa[71] e le analisi del Koldwey e Puchstein[72], erano stati rivolti anche al calcolo delle proporzioni dell'edificio, che risultò non molto dissimile da quello poi elaborato da P. Orsi. Questi aveva potuto rimettere in piedi l'unica colonna esistente con capitello, pertinente all'opistodomo, e aveva eseguito una serie di trincee per ricostruire la pianta del tempio (tav. 49).

Una serie di saggi aperti nell'area delle fondazioni ha consentito di definire la pianta e di rilevare approssimativamente le proporzioni dell'edificio (m 21 × 52), il quale doveva avere 6 colonne sulla fronte, 14 colonne sui lati lunghi ed orientamento est-ovest (figg. 14 e 23)[73].

Pur restando oggi solo pochi elementi strutturali del tempio, in pietra calcarea, alcuni dei quali facenti parte del suo basamento, bisogna rilevare che tale edificio era uno dei più grandiosi e sontuosi della grecità d'Occidente. Per l'epoca alla quale si attribuisce esso era uno dei pochi in Sicilia ad avere quasi tutti i rivestimenti architettonici e le tegole in marmo; di tale coronamento sono venuti alla luce diversi elementi nel corso degli ultimi scavi: si tratta di parti della cornice della fronte del tempio, in marmo cicladico, che conservano tracce della decorazione dipinta distribuita su due registri, uno superiore con palmette a quattro foglie di colore giallo, separato da una banda di colore azzurro da quello inferiore, campito con una fascia a meandro bianco.

Anche le decorazioni acroteriali dell'edificio erano in marmo e per lo più costituite da elementi vegetali.

Sulle colonne risultava steso uno spesso strato d'intonaco bianco allo scopo di evitare il forte distacco cromatico tra le strutture litiche e il coronamento marmoreo dell'edificio.

Il tempio C, che era stato impostato sui resti di precedenti edifici cultuali con strutture di pietrame e terra, rientrava nell'area sacra dell'acropoli in cui fin dall'età arcaica era stata venerata la dea Athena Lindia; pertanto, non è escluso che esso fosse stato destinato alla stessa divinità e che avesse sostituito il precedente edificio (tempio B), forse non più in uso, nel momento di grande fervore edilizio che aveva segnato gli anni del decennio successivo alla vittoria di Himera (480 a.C.).

Noi riteniamo che la realizzazione di questo tempio così elegante e raffinato fu voluta dalla dinastia dei Dinomenidi, perché potesse restare nella loro patria come il segno tangibile, a futura memoria, della loro opulenza.

## I rapporti cultuali con la madre patria nel ricordo delle fonti

Il tempio C costituisce per la Sicilia un'esperienza eccezionale, che pone Gela sul piano delle grandi città della madre patria, Olimpia e Delfi, ad esempio, due dei grandi luoghi di culto panellenici con i quali la colonia aveva mantenuto stretti rapporti fin dall'epoca arcaica.

Ma anche a Rodi la città aveva lasciato il segno della sua gratitudine offrendo nel santuario di Athena a Lindos un cratere, a ricordo della vittoria riportata sugli indigeni di Ariaiton; le numerose epigrafi ritrovate nel santuario di Asclepio a Coo attestano poi i rapporti intercorsi tra i due centri.

Ad Olimpia, ad esempio, la città, al pari di altre colonie di Sicilia, aveva dedicato nel VI secolo a.C. un *thesaurós*, un piccolo sacello prostilo per accogliervi le offerte dei cittadini geloi, i quali a testimonianza della loro capacità artistica, comprovata da precedenti esperienze, avevano realizzato la decorazione architettonica dell'edificio con lastre fittili policrome, sulle quali complessi motivi a doppia treccia, a palmette, a meandro, a rosette, nei colori bruni e rossastro, ripetevano schemi già adottati negli edifici sacri dell'Acropoli geloa.

Nello stesso santuario, Pantares, padre di Cleandro ed Ippocrate aveva riportato due vittorie (512 e 508 a.C.) nella corsa delle quadrighe; e le vittorie dei Dinomenidi, Gelone e Ierone, nelle corse olimpiche sui carri, nel 484 e nel 472 a.C., furono ricordate con due gruppi statuari in bronzo, opera di grandi scultori greci, Glaukias, Onatas e Calamide.

Soprattutto a Delfi Gela aveva lasciato i segni della sua devota e fedele religiosità; in quel grande santuario, che accoglieva durante i giochi pitici atleti provenienti da tutto il mondo greco. I rapporti con il santuario apollineo si erano rafforzati proprio durante il governo tirannico, quando diversi donari, formati da tripodi aurei risultano dedicati al dio, uno, ad esempio, dallo stesso Gelone, a ricordo della vittoria sui Cartaginesi a Himera[74].

Diversi brani di autori antichi, Simonide, Bacchilide ed Ateneo, esaltavano la magnificenza e l'opulenza delle offerte geloe a Delfi[75].

Senza dubbio l'offerta maggiore era costituita dal gruppo statuario bronzeo dell'Auriga, opera di un insigne scultore greco, Pitagora od Onatas, che fu dedicato nel santuario per la vittoria riportata nelle corse da Polizelo nel 474 a.C., come indica l'iscrizione incisa sulla base e successivamente abrasa per volere di Ierone, pur esso vincitore nello stesso tipo di gara nel 470 a.C.

Grazie ai Dinomenidi, grandi mecenati del tempo, Gela fu un centro di cultura, perché anche in essa confluirono scultori, tragediografi e poeti, attirati dalla ricchezza di quei tiranni, dei quali poi celebrarono nelle loro opere le imprese che li avevano resi famosi.

Pindaro dedicò alle gesta dei tiranni di quella famiglia ben tre Pitiche, la prima delle quali composta per Ierone, che aveva «rifondato» Catania con il nome Etna (476 a.C.)[76].

E lo stesso avvenimento fu celebrato in una tregedia, ormai perduta, *Etnee* (470 a.C.), scritta da Eschilo, che soggiornò a Gela morendovi poi nel 456 a.C.[77].

La promozione di opere edilizie, letterarie e la partecipazione ai giochi panellenici s'inscrivevano in un programma ambizioso tessuto abilmente dai tiranni, che agirono sicuramente senza badare ai limiti imposti dalle regole morali.

# V.
# Da Ierone alla distruzione cartaginese del 405 a.C.

Gelone era riuscito ad allargare i confini politici di Gela, ma il periodo successivo alla sua morte vide l'avvento al potere per 10 anni circa del fratello Ierone, che si stabilì a Siracusa lasciando il governo della città a Polizelo e spostando gli interessi politici ed economici su altre aree della Sicilia e dell'Italia.

Così si potrebbero spiegare gli interventi di Ierone fuori dall'isola per difendere nel 477 a.c. dall'assalto del reggino Anassilao la città di Locri Epizefiri, sede di culti ctoni familiari ai Dinomenidi e da sempre legata a Siracusa, ovvero a favore di un gruppo di Sibariti, che, nel tentativo di far rinascere il loro stato, si erano rifugiati sul Crati, dove furono assediati dai Crotoniati. E in aiuto dei Sibariti Ierone mandò il fratello Polizelo, con il quale si erano deteriorati i rapporti, anche per allontanarlo dalla Sicilia ed evitare trame contro il suo governo. Polizelo, infatti, aveva sposato la vedova di Gelone e poteva contare sull'appoggio del suocero Terone, tiranno di Agrigento, presso il quale, dopo quell'impresa, trovò rifugio.

Dopo avere rifondato Catania nel 476 a.C. con il nome di Etna, affidando il governo al figlio Dinomene, Ierone, con l'intento di assicurarsi il controllo dei commerci sul Tirreno, accorse in aiuto di Cuma, impegnata nel conflitto contro gli Etruschi, che furono sconfitti nel 474 a.C. presso la baia di Napoli[1]. L'esito felice di questa impresa fu ricordata anche con un'iscrizione graffita su un elmo etrusco dedicato ad Olimpia.

Ma il decennio successivo alla fine della tirannide non fu tranquillo per Gela, subito occupata contro i mercenari espulsi dalla città e rifugiatisi ad Omphake e Kakyron[2], centri indigeni usati come basi di guerra contro la colonia rodio-cretese, aiutata nell'occasione dai Siracusani.

Successivamente (463-462 a.C.), insieme agli Imeresi che condividevano i suoi stessi interessi egemoni sui mercati interni della zona centrale della Sicilia, Gela affrontò l'indigena Krastós, posta nell'entroterra[3] la quale, come altri centri della stessa etnia, cominciava ad emergere per riscattarsi della ormai secolare sudditanza imposta dai Greci.

Pochi dati abbiamo a disposizione per descrivere gli avvenimenti ai quali partecipò Gela negli anni in cui le città siceliote dovettero sostenere il conflitto contro i Siculi capeggiati da Ducezio (461-440 a.C.)[4] e negli anni seguenti (427 a.C.) quando si alleò con Himera, forse con Selinunte e Siracusa nel conflitto contro Leontini, Camarina, Catania e Naxos. Erano avvenimenti quelli di grande politica estera, che avevano reso necessario finanche l'intervento di Atene, già impegnata nella guerra contro Sparta, che rispose all'appello di Leontini sperando di trarre, proprio da quei conflitti, profitto con i rifornimenti di grano siciliano.

Con certezza sappiamo[5] che proprio a Gela, nel frattempo riappacificatasi con Camarina, si svolse il famoso Congresso della pace (424 a.C.), in cui il siracusano Ermocrate diventò protagonista con il celebre discorso sull'esigenza delle città siceliote di porre fine alle lotte e di riaffermare il principio della loro unità, indipendente da quella degli stati stranieri.

L'appello rimase vano perché la guerra civile scoppiata a Leontini nel 422[6] fece riesplodere i conflitti e fu necessario ricorrere nuovamente all'intervento di Atene per la loro risoluzione, non certo facile.

Non è questa la sede per trattare di quegli avvenimenti bellici e della conveniente alleanza strettasi tra la capitale dell'Attica e le città calcidesi della Sicilia; dobbiamo però evidenziare che in quell'occasione Gela si legò a Siracusa, alla quale inviò un contingente di truppe (400 lanciatori di giavellotto e 200 cavalieri) e una flotta di cinque triremi per affrontare le milizie ateniesi, che dopo alterne vicende furono definitivamente sconfitte nel 413 a.C.[7].

La Sicilia, superato il pericolo ateniese, non ritrovò l'aspirata pace perché nuove minacce di guerra, che si rivelarono ben più gravi delle precorse, incombevano su di essa e furono causate dalle ostilità tra Selinunte e Segesta, la quale nel 410 a.C. chiamò in causa Cartagine, desiderosa da tempo di riscattarsi dall'onta della sconfitta di Himera, dando inizio così ad uno dei più grandi conflitti della storia, che determinò negli anni a venire la distruzione di diverse città greche della Sicilia, impegnate contro i Punici, compresa Gela.

La prima a cadere fu Selinunte, poi Himera; nel 406 a.C. fu la volta di Agrigento, distrutta dalle truppe cartaginesi guidate da Annibale, nonostante l'aiuto datole da Gela, che aveva inviato in suo soccorso 1500 mercenari comandati dallo spartano Dexippo.

L'anno successivo la stessa sorte toccò a Gela, strenuamente difesa dai suoi abitanti, in soccorso dei quali erano giunte le milizie siracusane al comando del giovane Dionisio, che aveva condotto nella città un esercito di 51.000 soldati tra i quali anche alleati italioti e una flotta di 50 navi. Dopo la distruzione di Agrigento, i suoi abitanti si rifugiarono a Gela e quindi si trasferirono a Leontini.

Diodoro[8] ha lasciato il ricordo di quelle tragiche giornate in cui i Geloi, cinti d'assedio dalle truppe cartaginesi, guidate da Imilcone e divise in due campi, l'uno a ovest della città, presso Capo Soprano, l'altro a nord-est, presso il fiume Gela, forti del sostegno degli alleati, decisero di assalire l'accampamento dei nemici. Il piano però fallì, soprattutto per il comportamento ambiguo di Dionisio, che decise di fare evacuare la città e di abbandonarla nelle mani dei Cartaginesi. Ed infatti, le tre colonne nelle quali era stato diviso l'esercito per assaltare sia dal mare che da terra i nemici, si attardarono ad entrare in azione; fu la fine di Gela, che venne distrutta e razziata[9] e i suoi abitanti, così come i Camarinesi, abbandonarono la città al seguito dell'esercito di Dionisio e si rifugiarono a Leontini.

Il successivo trattato, firmato tra Dionisio e Imilcone, prevedeva che Gela, Camarina, Agrigento e Selinunte divenissero città tributarie dei Cartaginesi e fossero ripopolate, senza però potere erigere mura di fortificazione[10].

Le tracce di questa violenta distruzione della città sono ben leggibili negli strati di macerie che coprono gli edifici del V secolo a.C., molti dei quali non furono più ricostruiti.


## Produzione architettonica, artistica e circolazione monetale

Il periodo che va dal governo di Ierone alle guerre puniche non registra grandi trasformazioni nella città né sul piano urbanistico né su quello architettonico. Sembra che gli avvenimenti bellici che segnarono la storia dell'isola in quel periodo e ai quali Gela aveva partecipato, pur con un ruolo di coprotagonista, non abbiano avuto ripercussioni nella vita degli edifici civili e di culto, i quali, a parte qualche modesto rifacimento, non subirono evidenti modifiche.

Solo le mura di fortificazione furono ricostruite; un tratto di esse, individuato sul pendio settentrionale dell'acropoli, lungo m 12,80 e dello spessore di m 2,10-2,15, era a doppio paramento con blocchi irregolari, mal connessi e raccordati da zeppe ed era rinforzato da uno sperone[11].

L'esecuzione frettolosa e la tecnica mediocre di questa struttura muraria sembrano essere state determinate da vicende particolari, forse da connettere a quelle descritte da Diodoro, che narra dell'assedio di Gela da parte dei Cartaginesi, durante il quale anche le donne e i bambini collaborarono per ricostruire di notte le fortificazioni, demolite di giorno a colpi d'ariete[12].

Sull'acropoli continuarono ad essere frequentati gli edifici sacri e il Tempio dorico, i santuari urbani ed extraurbani furono ancora meta di pellegrini e devoti. Gli ex voto e le offerte di oggetti ceramici e bronzei dedicati alle varie divinità, soprattutto ad Athena e a Demetra e Kore, provano che questi luoghi di culto rimasero in vita per tutto il V secolo a.C., così come il santuario di Bitalemi, il quale, come abbiamo avuto modo di notare nei capitoli precedenti, dopo l'incendio subito tra il 460 e il 450 a.C., venne addirittura ricostruito e ampliato con nuovi ambienti e sacelli, di dimensioni maggiori e con strutture più consistenti dei precedenti (fig. 34 GI)[13].

L'area che mostra un totale rinnovamento è quella del santuario dell'ex scalo ferroviario, dove furono costruiti tre nuovi edifici, all'interno di un tracciato viario, che ricalcava, nella sua disposizione, quello dell'impianto dell'acropoli; tali edifici, sorti insieme ad una fornace, avevano una funzione artigianale a supporto dell'attività sacra svolta nel complesso(fig. 40, fase II); le nuovi indagini archeologiche condotte nell'area sembrerebbero dare una interpretazione diversa di questo complesso sacro, il quale, da sempre ritenuto extraurbano, è stato, invece, riqualificato come sito periferico posto probabilmente all'interno del tessuto urbanistico della *polis*[14].

Le officine della città, che continuarono a produrre abbondantemente terrecotte figurate, non portarono innovazioni agli schemi e ai modelli della plastica in voga già dai primi decenni del V secolo a.C. Piccole varianti si possono evidenziare nei panneggi dei vestiti, più morbidi e più aderenti al corpo delle figure, il quale perse la rigidità delle forme arcaiche; anche il volto delle stesse figurine, dal modellato meno rigido, incorniciato dalla massa sinuosa dei capelli dipartentisi dal centro, mostra tratti somatici meno duri e non ha più la rigorosa simmetria, tipica dello stile dei decenni precedenti.

Nel repertorio della produzione plastica furono ripetuti i tipi delle statuette fittili di Athena Lindia del tipo atticizzante, con elmo e lan-

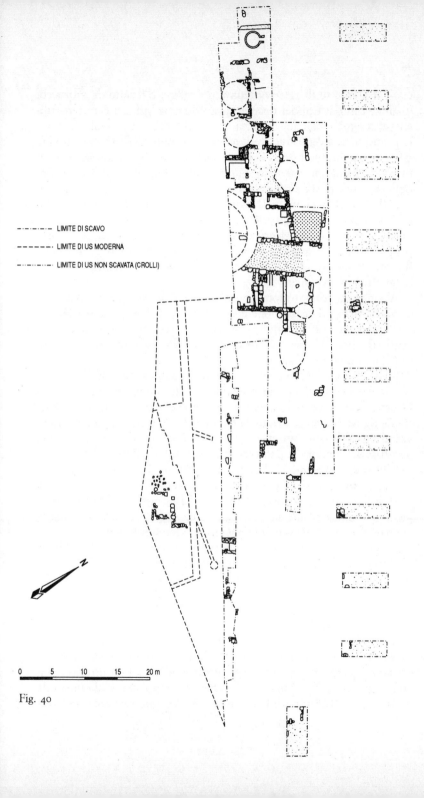

LIMITE DI SCAVO

LIMITE DI US MODERNA

LIMITE DI US NON SCAVATA (CROLLI)

0    5    10    15    20 m

Fig. 40

cia, e le statuette di offerenti con il porcellino o il fiore di papavero, distinguibili dai tipi dei decenni precedenti solo per i caratteri stilistici (tav. 50); qualche statuetta si ispirava ai modelli della scultura in pietra in voga in Grecia ed evocava i canoni delle scuole attiche, come si nota ad esempio nel caso della statuetta di Demetra, proveniente dall'edificio XII, che, giustamente, è stata assimilata ai tipi della scultura postagoracritea (tav. 51)[15].

Ad officine siceliote è riconducibile la statuetta di donna incinta, con un lungo vestito pieghettato, che ella trattiene sul ventre scoperto, con un gesto nel quale l'Orlandini ha voluto vedere un atto propiziatorio; la figurina, trovata sotto lo strato di bruciato della fine del V secolo a.C., è caratterizzata da un forte realismo, tipico delle officine provinciali (fig. 41)[16].

Vennero ancora prodotte antefisse a testa di Sileno, ma con il volto privo di qualsiasi espressione e di fattura scadente, come si rileva in quelle trovate sull'Acropoli, le quali sono da considerare solo prodotti ripetitivi dei ben più originali modelli del santuario dell'area di Molino di Pietro[17].

L'afflusso ancora notevole a Gela di vasi a figure rosse delle migliori officine attiche danno la prova del perdurare dei rapporti con la Grecia, da dove vennero ancora importati i crateri, le anfore e le *lekythoi* a figure rosse; infatti, nella città e nel suo territorio arrivavano i vasi dei grandi artisti attici, attivi proprio tra il 470 e il 460 a.C., quali il Pittore di Bowdoin[18], il Pittore di Oionocles[19], il Pittore di Desdra[20] e il Pittore di Altamura, al quale si attribuisce il maestoso cratere a volute, a figure rosse, oggi esposto nel Museo di Agrigento[21]. Al Pittore di Pan, invece, è stata attribuita un'anfora nolana con scena di giovane uomo davanti ad una suonatrice di *lyra*, e ad uno dei suoi allievi è stata assegnata una *lekythos* con scena di Eos e Kephalos[22].

Nelle necropoli di Gela sono stati ritrovati anche i vasi del Pittore di Boreas, del Pittore dell'Orto, del Pittore della Phiale di Boston e del Pittore di Hasselmann, attivi nel secondo venticinquennio del V secolo a.C., che erano tra i migliori ceramografi dello stile classico; i loro vasi, rinvenuti nei corredi tombali, fanno parte oggi della Collezione Navarra. Del Pittore di Boreas è il cratere a colonnette con scena di flautisti e comasti (tav. 52).

Tra i vasi del Pittore della Phiale di Boston presenti a Gela va segnalata la *lekythos* con scena di commiato, sulla quale è riprodotto un efebo, vestito di clamide e con il petaso sul capo, che si allontana da un uomo[23]. Al Pittore di Hasselmann è stata inoltre attribuita la *pe-*

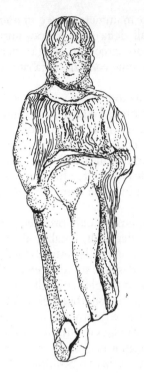

Fig. 41

*like* con guerriero greco e guerriero orientale, forse da identificare con Diomede e Glauco[24].

I rapporti con l'Attica sono attestati ancora dalle monete di zecca ateniese, ritrovati a Gela e nel territorio d'influenza: ci riferiamo al gruzzolo di Manfria, che conteneva tra l'altro 18 tetradrammi datati alla seconda metà del V secolo a.C.[25].

Nel cinquantennio successivo alla tirannide, Gela rafforzò i rapporti commerciali con altri centri della Sicilia, con Siracusa, con Agrigento, ma anche con Camarina, città che da essa fu più volte ripopolata.

Per la ricostruzione dello svolgimento degli scambi intercorsi tra la città e gli altri centri dell'isola gli studiosi si sono avvalsi dello studio delle monete bronzee rinvenute nel corso degli scavi effettuati sull'acropoli e nei santuari, dove erano presenti *triantes* ed *hemilitra* agrigentini, rispettivamente in numero di 16 e 17 nominali[26], e 27 *triantes* siracusani, 22 dei quali della serie «ippocampo», monetali questi ultimi, che pur avendo circolato in età successiva, timoleontea, sono stati riconosciuti come coniazioni da riferire alla fine del secolo precedente[27].

Il ritrovamento in una tomba del v secolo a.C. di un frammento di *aes rude*, se da un canto prova l'attardarsi di questo mezzo di scambio, dall'altro offre la conferma che la monetazione in bronzo a Gela iniziò solo alla fine del v secolo a.C. e che la città per il periodo precedente, malgrado la relativa abbondanza delle sue emissioni d'argento, non essendo più in grado di soddisfare i bisogni di scambio della sua circolazione, compensò questa con esemplari provenienti dalle città limitrofe.

Pochi sono gli esemplari di conio bronzeo geloo, prevalentemente *triantes*, due dei quali illeggibili, databili al III venticinquennio del v secolo a.C., recanti sul dritto la testa efebica del fiume Gela, con iscrizione Γελας sul lato destro e sul retro un toro stante con testa cozzante, l'iscrizione Γελας e tre globetti nell'esergo[28]; su due uncie di Contrada Carrubbazza è riprodotta la testa del fiume Gela con i capelli irsuti, il grano d'orzo e il toro gradiente verso destra[29].

È bene ricordare però che Gela tra il 415 e il 410 a.C., così come Agrigento, Siracusa e Camarina, coniò litre auree (D: protome taurina di profilo a destra, iscrizione Sosipolis - R: cavaliere su cavallo incedente; D: protome taurina a sinistra - R: testa femminile con sfendane, iscrizione Sosipolis), in coincidenza del momento di grande difficoltà determinato dalla travolgente invasione cartaginese, che aveva costretto la città ad emissioni straordinarie per sopperire alle spese militari[30]; infatti, l'oro, fin dalle origini della monetazione, fu utilizzato solo per motivi di particolare necessità.

La presenza su tali monete auree della spiga e del chicco di grano, che si ritrova anche in altri bronzi monetali, è un chiaro accenno alla produzione del grano, che continuava a costituire la risorsa economica primaria della città.

# VI.
# Gela nel IV secolo a.C.

Per il cinquantennio seguito alla grave sconfitta del 405 a.C. non abbiamo molti riferimenti per la storia di Gela, la quale peraltro sembra restare estranea alle vicende isolane. Ridotta a città tributaria, ormai quasi spopolata[1], Gela risorse molto lentamente e, pur indebolita, partecipò alla spedizione dionigiana contro Mozia nel 397 a.C.[2] con suoi cittadini profughi a Leontini o a Siracusa o più probabilmente anche con Geloi residenti nel retroterra. E le fonti ricordano che i Geloi parteciparono alla spedizione di Dione contro Dionigi II nel 357 a.C., insieme ad Agrigentini della zona dell'Eknomos, Siculi e Sicani che abitavano le zone interne. Nel 345 a.C. però Gela corse in aiuto di Entella assediata dal cartaginese Annone, ricevendo in cambio dei benefici[3].

Anche i centri dell'entroterra, pur essi coinvolti nella distruzione cartaginese, attraversarono uno dei periodi più oscuri e la profonda crisi in cui essi si dibatterono si ripercosse nel progressivo impoverimento degli abitati, che non sembrano, secondo i dati archeologici, essere stati oggetto di interventi ricostruttivi; solo Gibil Gabib, presso l'odierna Caltanissetta, offre le prove della continuità di vita per tutto il IV secolo a.C.[4].

Secondo lo Schubring Gela dopo il 405 a.C. era solo una borgata semideserta e priva di mura, che rifiorì soltanto grazie a Timoleonte[5].

Le scoperte archeologiche giustificano però una modesta e lenta ripresa di vita, manifestatasi soprattutto sull'acropoli con il rifacimento di alcuni edifici o con la costruzione di piccoli ambienti, realizzati sullo strato di distruzione dei complessi più antichi, spianati per livellare il nuovo piano di calpestio.

La ripresa di vita del centro, che traeva le risorse da un territorio vasto e fertile, seppure sconvolto dalla guerra, è documentabile per la presenza di monete, evidenti residui del fondo monetario del V secolo a.C., in prevalenza bronzi siracusani e «ippocampi», rinvenuti sull'acropoli, sicuramente databili alla prima rioccupazione del IV secolo a.C.; lo stesso tipo monetale continuò a circolare fino ad età timoleontea[6]. Anche i pochi frammenti di vasi pestani, uno dei quali attribuito ad Asteass (350 a.C.) provano che la città non era totalmente deserta.

L'esempio più tipico di questa affrettata ricostruzione si coglie nell'edificio XIII, posto lungo il margine orientale dello *stenopos* V (fig. 22, colorato in verde)[7] e nell'edificio XII, immediatamente ad est dello *stenopos* III, in cui venne appositamente sopraelevato il livello di uso (fig. 39)[8].

L'edificio XII, a pianta rettangolare ed accessibile dal lato est, era un sacello destinato al culto di Demetra e di Athena; infatti, nei suoi vani sono state ritrovate molte statuette di queste due divinità.

Notevole il numero delle deposizioni votive ancora in situ raccolte accanto ad un'arula in pietra nel vano nord dell'edificio, in associazione a ceramica a vernice nera a decorazione impressa e acroma. Spiccano le statuette del tipo della cosiddetta Athena Lindia, stante con cimiero sul *polos* e lancia, ovvero del tipo assisa, ma elmata ed armata di lancia ed ispirata a tipi attici, ripresi da modelli di età precedente[9].

Sempre dal vano nord di questo sacello proviene la statua di culto di Demetra, della quale abbiamo parlato prima, che riprende i modelli postagoracritei[10], databile ad età precedente, ma pietosamente conservata e riutilizzata, così come tanto altro materiale di quell'epoca restaurato e riadattato (tav. 51).

# Il periodo da Timoleonte alla distruzione di Phintias (339-282 a.C.)

Bisogna attendere la seconda metà del IV secolo a.C. per assistere ad un profondo mutamento e rinnovamento, che investì non solo Gela, ma tutta la Sicilia dilaniata dalle lunghe guerre, afflitta da governi tirannici, impoverita e ridotta demograficamente, minacciata dal pericolo sempre incombente di un sopravvento cartaginese.

Fu allora che Iceta di Leontini e i suoi seguaci chiesero ed ottennero l'aiuto di Corinto per porre fine ad una situazione ormai logorata e ristabilire l'agognata democrazia[11].

Corinto accettò l'invito mandando delle truppe al seguito del cittadino Timoleonte, esponente di una delle principali famiglie dell'oligarchia, uomo così avverso ai tiranni da avere partecipato all'assassinio del fratello reo del tentativo di instaurare una simile forma di governo.

Se sono oscuri i motivi per cui Corinto scelse di intervenire nelle vicende siciliane e i vantaggi che da questo suo intervento poteva trarre, certo è che l'arrivo di Timoleonte e le vittorie da lui riportate, prima sulle milizie siceliote capeggiate da Dionisio II e poi sui Cartaginesi, rappresentarono per la Sicilia la fine di un lungo incubo.

La figura del condottiero corinzio è ampiamente descritta nelle pagine di Plutarco [12] e di Diodoro [13], anche se la celebrazione della sua opera sembra essere il risultato di un'abile propaganda politica.

L'istituzione di un governo democratico a Siracusa e la fine della tirannide nelle altre città segnarono per l'isola l'inizio di un periodo di prosperità e di ripresa economica.

Anche Gela ebbe modo di trarre benifici dalla oculata opera di Timoleonte; essa fu nuovamente ripopolata con coloni provenienti da Ceo, guidati da Gorgo e da vecchi cittadini geloi rifugiati in altre città, che ritornarono per rioccupare le loro terre.

Come avremo modo di vedere la città attraversò un periodo tranquillo, interrotto solo, alla morte di Timoleonte, dalle incursioni del tiranno siracusano Agatocle, che aveva tessuto l'ambizioso progetto di ottenere il governo dell'isola.

Da condottiero dei mercenari, a «curatore dello stato», Agatocle aveva assunto i pieni poteri sostenuto dalle masse popolari e, al pari di altri tiranni che lo avevavo preceduto, svolse una politica di conquiste, con l'intento non solo di assoggettare le altre *poleis* siciliane, ma anche i Cartaginesi, sostenitori delle classi aristocratiche e oligarchiche da lui stesso perseguitate.

Cartagine, infatti, era venuta in aiuto delle classi aristocratiche di Akragas, Gela e Messana minacciate da Agatocle, il quale, per reazione, progettò l'invasione dei territori punici e delle città a quella alleate.

Gela diventò teatro delle azioni del tiranno, il quale mosse contro di essa un primo assedio nel 317 a.C.[14], riuscendo ad ingannare le truppe siracusane, guidate da Sostrato, a lui ostili e rifugiate nella città. In quell'occasione il tiranno, in procinto di essere sconfitto, dopo aver perso anche 300 uomini, ordinò ai trombettieri di correre sul versante opposto alle mura e di annunciare il segnale di attacco: fu

allora che le milizie di Sostrato accorsero verso il luogo da cui provenivano gli squilli delle trombe, luogo da identificare forse presso
l'acropoli, meno difesa rispetto a Capo Soprano, dando modo al ne-
mico di scappare. Ma Agatocle si impadronì di Gela nel 311 a.C.[15] per
farne la sua base militare contro i Cartaginesi accampati all'Eknomos,
presso Licata. L'occupazione di Gela era stata conseguita anche stavolta con uno stratagemma; infatti, il tiranno si era proposto di assalire le truppe puniche e sospettando che Gela potesse richiedere
l'aiuto dei suoi nemici introdusse nella città moltissimi soldati trave-
stiti, impadronendosene di sorpresa; accusò quindi di tradimento i
suoi abitanti[16] e, dopo essersi fatto consegnare i loro beni, trucidò
quattromila uomini.

Gli studiosi hanno collegato a questo tragico avvenimento la scoperta di una fossa comune nella zona dell'ex Predio Di Bartolo[17].

Agatocle, sconfitto dai Cartaginesi, dopo aver bruciato il suo accampamento presso la città di Phalarion, stabilì la sua base militare
a Gela, che restò sottomessa al tiranno fino al 309 a.C.; solo l'aiuto
dell'agrigentino Xenodico permise a Gela di riottenere la libertà[18]
e di restare indipendente fino al 307 a.C., anno in cui, rioccupata
da Agatocle perché alleata di Cartagine, passò sotto il dominio siracusano.

La morte di questo «sovrano siciliano», come egli stesso ama-
va definirsi (289 a.C.) restituì a Gela un periodo, pur breve, di tran-
quillità.

Le vicende politiche sviluppatesi nella Sicilia dopo la morte del
condottiero siracusano e il conseguente vuoto politico creatosi per
la mancanza di una figura dominante furono contrassegnate dal succedersi di momenti di anarchia, della quale ne approfittarono contin-
genti mercenari italiani, i Mamertini, che, con varie incursioni, si spinsero fin sulla costa meridionale, a Camarina e a Gela, dove vennero
raggiunti dal tiranno di Agrigento Phintias.

Non sono chiare le vicende che determinarono la distruzione di
Gela nel 282 a.C. avvenuta forse ad opera dei Mamertini o del tiranno, Phintias[19]; a quest'ultimo però viene attribuito l'abbattimento delle mura e delle case della città e la deportazione dei Geloi
a Finziade, presso l'odierna Licata, «perché non se ne potessero servire gli stessi Mamertini o altri nemici».

Questo infausto avvenimento fece sì che l'antica grande città non
risorgesse più o almeno non riacquistasse l'estensione e lo splendore
dei tempi passati.

La serena svolta politica avviata da Timoleonte ebbe delle notevoli ripercussioni anche nella ripresa di vita dei centri, che dopo gli avvenimenti delle guerre cartaginesi erano stati distrutti o abbandonati ovvero avevano attraversato un momento di grande crisi.

I centri di Butera, Monte Bubbonia, Monte Desusino e quanti altri erano stati assoggettati all'influenza geloa tornarono a popolarsi e ad essere ricostruiti, così come le campagne e la piana circostanti, che in quell'epoca videro sorgere numerosissimi santuari campestri, officine e fattorie, con le relative necropoli[20].

La prova più evidente dello sfruttamento agricolo del territorio è offerto dai complessi rurali di Milingiana, Piano Camera, Manfria, Feudo Nobile, Ficuzza, Poggio Chiancata, Mignechi e Priolo; è probabile che ogni fattoria disponesse di un vasto *kléros*, mentre a Manfria la presenza di un'officina ceramica specializzata nella produzione di vasi a figure rosse, destinati anche agli abitanti della *chora*, offre l'esempio più significativo di questa rinascita[21].

## L'impianto urbano, i quartieri dell'acropoli e gli edifici sacri

Anche Gela, a partire dal 339 a.C., mostra chiari segni di ripresa economica e demografica, che si manifestò nell'attivazione di un grande progetto urbanistico e architettonico sviluppatosi non solo sull'acropoli, ma anche in nuovi settori della collina, i quali, come quello occidentale, vennero occupati da quartieri di abitazione e complessi civili e di culto.

La città fu ampliata fino ad inglobare nuove aree, risultando così più estesa di quella arcaica, disposta principalmente sul settore orientale della collina.

Due furono i grossi interventi attuati dal punto di vista urbanistico: il primo contemplò la trasformazione dell'impianto urbano dell'acropoli con la realizzazione di nuovi edifici destinati non più solo a usi cultuali e il secondo, a Capo Soprano, invece, la costruzione di nuovi e più moderni quartieri e complessi, all'interno delle poderose mura di fortificazione.

Nella prima zona, con una serie di gettate di riporto, fu sopraelevato il livello delle terrazze del versante settentrionale e furono uniformati i piani di calpestio, variando sensibilmente il precedente modulo urbanistico, che in alcuni casi fu addirittura alterato[22].

Nuove strade (*stenopoi*) furono costruite non tenendo conto dei

tracciati preesistenti; ad esempio, lo *stenopos* III fu prolungato a sud
fino ad estendersi al di sopra del basamento dell'Athenaion arcaico
(Tempio B, fig. 22), e nell'isolato orientale, con colmate di terra, furono obliterati gli edifici di età arcaica e classica per l'impianto di
nuovi percorsi, ai margini dei quali sorsero, in modo affollato e disor-
dinato, edifici di tipo artigianale. Gli ambienti ubicati tra gli *stenopoi* I
e III, distribuiti in maniera affollata e confusa, occuparono le antiche
sedi stradali non rispettando neanche gli allineamenti degli impianti
precedenti[23].

Il carattere di poca organicità, che si riscontra nell'impianto urbano dell'acropoli in età timoleontea, si nota anche nelle strutture perimetrali degli edifici per la cui costruzione vennero spesso riutilizzati
i blocchetti di pietrame, il materiale architettonico e gli spezzoni di
tegole degli edifici di età più antica.

L'acropoli perse quasi completamente la destinazione cultuale e
venne a configurarsi preminentemente come un'area di quartieri artigianali e di abitazioni; queste ultime, talvolta con pareti elegante-
mente rivestite di intonaco dipinto, invasero anche l'area del settore
orientale, prima destinata ai grandi Templi; a tali complessi, aperti
a nord, appartenevano gli ambienti A (con deposito di pesi da te-
laio)[24], 12 e 21, l'edificio XIV, la cosiddetta fattoria (fig. 22, segnato
in verde) e una bottega di scalpellini impiantata nell'isolato ad est
dello *stenopos* VI. L'edificio VIII, di età arcaica, già ristrutturato nel
V secolo a.C., fu ricostruito, mantenendo la destinazione cultuale e
la pianta ricalcò l'impianto del V secolo[25].

Pochi, peraltro, furono gli edifici che mantennero in questo periodo una funzione sacra, testimoniata ad esempio dal ritrovamento
di un'antefissa gorgonica di tipo arcaizzante e da poche statuette di
Artemide.

Certo è comunque che il sito di Molino a Vento fu abbandonato a
seguito della conquista di Agatocle e degli avvenimenti del 311-310
a.C. e, infatti, i materiali ritrovati nei vari ambienti sono databili prevalentemente al periodo timoleonteo.

Nei decenni compresi tra la ricostruzione timoleontea e la conquista agatoclea della città è attestato sull'acropoli il culto di Artemide,
che assunse una certa dignità, al pari di altre divinità già onorate precedentemente, quali Athena, Zeus, Demetra e Kore. Numerose
statuette fittili di Artemide sono state ritrovate nei livelli di uso del
IV secolo e i vari tipi attestati riproducono la dea con il capo coperto
da un berretto conico, vestita da una tunica trattenuta da bretelle in-

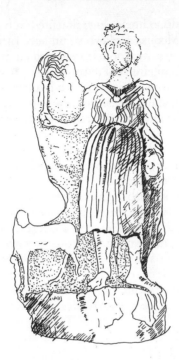

Fig. 42

crociate sul petto e fiancheggiata da un cane o da un cervo (fig. 42), ovvero seduta con il cane a fianco o cavalcante un cerbiatto e con un'oca in grembo[26]. Esse documentano l'introduzione di nuove forme di culto, importate probabilmente dai coloni di Ceo, venuti a Gela dopo il 337 a.C., che risultano attestate anche nell'entroterra gelese, come a Butera e a Manfria, dove è provata la presenza di altri culti di divinità minori, ninfe o *paides*, raffigurate con flauti e timpani e da sempre onorate a Ceo e a Rodi[27].

Se le rare e sporadiche statuette di Athena, sia dall'area urbana, che dal santuario di Carrubbazza, raffigurata con elmo corinzio o con alto *lophos*[28], testimoniano la persistenza a Gela del culto della dea, bisogna però segnalare la presenza di altri culti, quali quello di Eracle, attestato già nel periodo arcaico da un graffito su vaso del Dessueri e da un'arula di Capo Soprano, dove l'eroe appare nell'atto di uccidere il Gigante Alcioneo (tav. 20)[29]; il nome di Eracle compare

poi su un *oscillum* (disco fittile generalmente usato a scopo apotropaico), con testa di Medusa a rilievo su un lato, ritrovato in località
S. Ippolito, sul pendio settentrionale della collina di Gela, insieme a
ceramica e statuette femminili del III secolo a.C. ed ancora su un manufatto cilindrico in bronzo, con dedica di Botacos, scoperto in località Chiancata, nella pianura gelese, in un'area probabilmente adibita
a culti campestri e databile per il carattere dell'iscrizione al IV secolo a.C. [30].

Le monete bronzee e d'argento con testa di Eracles imberbe e con
*leonté* sul capo sarebbero un'ulteriore prova della diffusione del culto
dell'eroe a Gela e nel suo territorio [31].

Ma le aree di culto extraurbane usate precedentemente furono quasi tutte abbandonate, fatta eccezione per quelle di Contrada Carrubbazza dell'Heraion e di via Fiume - ex scalo ferroviario, dove furono
costruiti nuovi edifici, decorati da terracotte architettoniche. Nel settore orientale della collina continuò ad essere frequentato il santuario
urbano della zona di Molino di Pietro, dedicato a Zeus Atabyrios, che
venne arricchito da nuovi sacelli e altari, ad uno dei quali doveva appartenere una guancia d'altare in pietra calcarea decorata da elementi e
girali in stile ionico.

# I complessi urbani ed architettonici di Capo Soprano: i quartieri abitativi, i bagni pubblici, la villa suburbana, la casa-bottega

Come abbiamo accennato prima, la zona di Capo Soprano, occupata tra il VI e il V secolo a.C. da necropoli ed edifici di culto, rientrò
allora negli interventi di rinnovamento urbanistico diventando sede
dei nuovi complessi edilizi, organizzati in maniera organica secondo
un preciso schema regolare, che tenne presente la distinzione delle
aree destinate ad abitazioni o a botteghe o ad impianti pubblici.

Gli scavi condotti nel settore occidentale della collina, già a partire
dai tempi di P. Orsi e dopo dagli altri archeologi, riportarono alla luce
i resti di numerose abitazioni, alcune delle quali costruite con blocchi
squadrati ed intonacati con stucchi colorati o sfarzosamente dipinti
con motivi floreali a vari colori, datati al periodo di Timoleonte e Agatocle sulla base del materiale ceramico e delle monete bronzee recuperate.

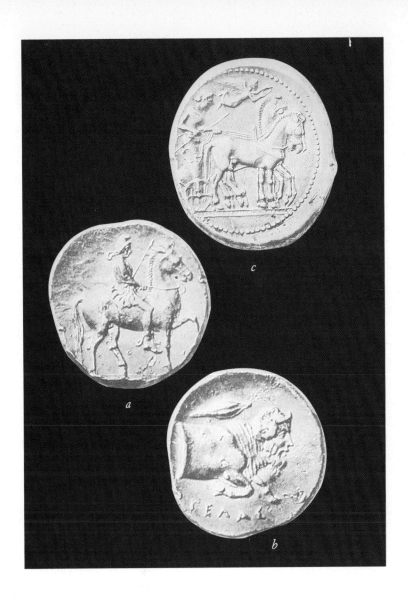

Tav. 33
Tetradrammi del periodo di Gelone:
*a*) D/cavaliere;
*b*) R/toro androprosopo in corsa;
*c*) D/quadriga.
(Gela, Museo Archeologico)

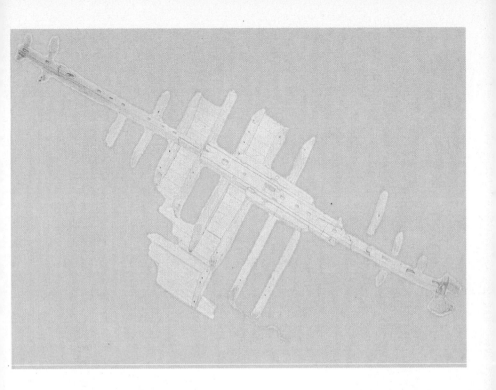

Tav. 34
Planimetria della nave greca.

TAV. 35
*Oinochoe* attica a figure nere dalla nave di Gela, con scena
di gigantomachia: Athena che atterra il gigante Encelado (490 a.C. circa).
(Gela, Museo Archeologico)

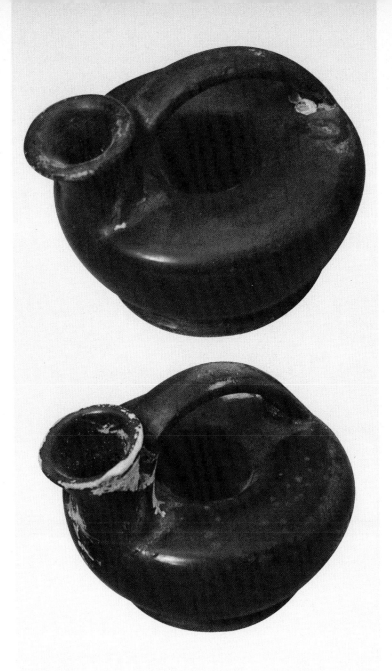

TAV. 36
*Askoi* attici a vernice nera dalla nave di Gela (500-490 a.C.).
(Gela, Museo Archeologico)

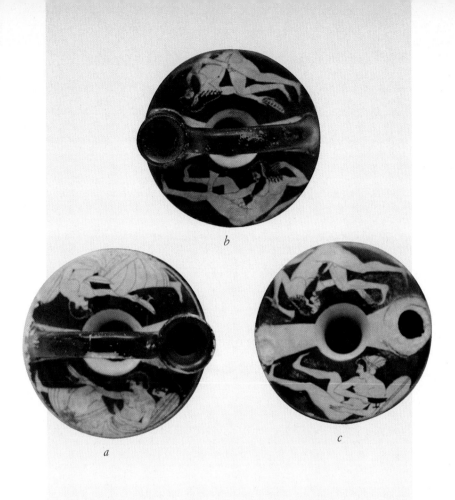

TAV. 37
*Askoi* attici a figure rosse dalla nave di Gela (decennio 490-480 a.C.).
(Gela, Museo Archeologico)

TAV. 38
Materiale dalla nave di Gela:
*a*) Arula fittile dipinta.
*b*) Cinghialetto fittile.
*c*) Braccino ligneo di statuetta.
(Gela, Museo Archeologico)

TAV. 39

*Lekithos* attica a fondo bianco con scena di Aiace che insegue Cassandra, del pittore di Edimburgo (500-480 a.C.).

(Gela, Museo Archeologico)

TAV. 40
*Lekithos* attica a figure rosse con scena di Nike davanti all'altare
(Pittore di Tithonos, 470 a.C.).
(Gela, Museo Archeologico)

TAV. 41
*Lekythos* attica a figure bianche con Enea e Anchise
(Pittore di Brygos, 480-470 a.C.).
(Gela, Museo Archeologico)

TAV. 42
*Pelike* attica a figure rosse di Myson con scena di donna danzante
davanti a una cesta piena di falli (470-460 a.C.).
(Siracusa, Museo Archeologico)

Tav. 43
*Pelike* con scena di Teseo e Minotauro (Pittore dei Porci, 470-460 a.C.).
(Gela, Museo Archeologico)

TAV. 44
Antefissa silenica dal santuario di Molino Pietro
(prima metà del v sec. a.C.).
(Gela, Museo Archeologico)

Tav. 45
Acroterio equestre dell'acropoli (primo venticinquennio del v sec. a.C.).
(Gela, Museo Archeologico)

Tav. 46
Testa fittile di cavallo da un gruppo acroteriale di un edificio dell'acropoli
(primo venticinquennio del v sec. a.C.).
(Gela, Museo Archeologico)

TAV. 47
Statuette fittili di Athena Lindia del tipo con *gorgoneion*
e del tipo con cimiero sul *polos* (prima metà del v sec. a.C.).
(Gela, Museo Archeologico)

Tav. 48
Testa fittile di donna con *calathos* (seconda metà del v sec. a.C.).
(Gela, Museo Archeologico)

Tav. 49
La colonna dell'opistodomo del tempio dorico (tempio C).

TAV. 50
Statuette fittili di offerenti con porcellino (metà del V sec. a.C.).
(Gela, Museo Archeologico)

Tav. 51
Statua fittile di Demetra, dall'edificio XII (seconda metà del v sec. a.C.).
(Gela, Museo Archeologico)

TAV. 52
Cratere a figure rosse con flautisti e comasti del Pittore di Boreas
(460-450 a.C.).
(Gela, Museo Archeologico)

TAV. 53
Complesso termale di età ellenistica.

TAV. 54
Grondaie fittili a teste di pistrici (seconda metà del IV sec. a.C.).
(Gela, Museo Archeologico)

Tav. 55
Antefisse fittili riproducenti una il volto di Artemis Bendis,
l'altra una Gorgone di tipo arcaicizzante (seconda metà del IV sec. a.C.).
(Gela, Museo Archeologico)

TAV. 56
Testa fittile del tipo cosiddetto «tanagrino»
(seconda metà del IV sec. a.C.).
(Gela, Museo Archeologico)

TAV. 57
*Oscilla* fittile con testa di medusa e *oscillum* con raffigurazione di Scilla
(seconda metà del IV sec. a.C.).
(Gela, Museo Archeologico)

a

b

TAV. 58
a) *Skyphos* siceliota a figure rosse con giovane satiro danzante con timpano nella mano destra, dall'ambiente 2 dell'acropoli (seconda metà del IV sec. a.C.). «Pittore del gruppo di Catania 4292».
b) *Skyphos* siceliota a figure rosse con donna assisa e giovane ignudo, dall'ambiente 12 dell'acropoli (seconda metà del IV sec. a.C.).
«Pittore del gruppo di Manfria».
(Gela, Museo Archeologico)

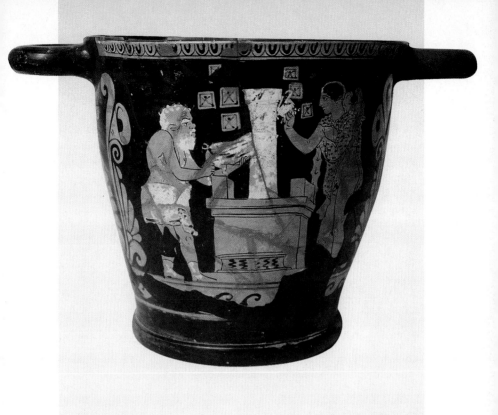

TAV. 59
*Skyphos* del Pittore di Asteass
(terzo venticinquennio del IV sec. a.C.).
(Gela, Museo Archeologico)

Tav. 60
Veduta del tratto meridionale delle mura di Capo Soprano
e particolare della porta con arco ad ogiva.

TAV. 61
Tegole romane con bollo *calv*, da Bitalemi.
(Gela, Museo Archeologico)

TAV. 62
Veduta degli ambienti della fattoria di Piano Camera (II fase).

TAV. 63
Frammento di coppa in sigillata c3 con scena del miracolo del paralitico,
da Piano Camera.
(Gela, Museo Archeologico)

Tav. 64
Protomaiolica gelese con figura di pesce.
(Gela, Museo Archeologico)

Quasi tutti gli ambienti e i complessi dei quali appresso tratteremo erano sigillati da uno strato di bruciato, segno evidente di una violenta fine, che gli archeologi hanno attribuito alla distruzione di Phintias.

Le ricerche archeologiche hanno permesso di evidenziare che gli edifici per civile abitazione, costruiti nella seconda metà del IV secolo a.C., avevano le strutture perimetrali in blocchetti di pietrame frammisti a tegole, con una tecnica riscontrabile anche in altri siti della Sicilia e probabilmente riconducibile, come nel caso di Selinunte, a maestranze puniche; a Gela tale tecnica costruttiva trovò largo impiego nel IV secolo a.C. perché economica e facilmente praticabile, vista la mancanza di cave di pietra nelle zone vicine[32].

I nuovi quartieri di abitazione avevano un rigido orientamento nord-nord-est/sud-sud-ovest e sembrerebbero ricalcati dall'impianto della città moderna, per cui il rettifilo moderno del corso V. Emanuele, che incide il piano sommitale della collina, dall'acropoli a Piano Notaro, potrebbe coincidere con una grande *plateia*; il raccordo tra l'acropoli e la città sarebbe stato assicurato da un sistema di rampe e terrazze secondo una conformazione scenografica aderente ai canoni dell'urbanistica ippodamea[33]. Vasti settori di abitati sono venuti alla luce nelle attuali via Candioto, via Morselli e via Meli e sono stati indagati nel corso di moderni lavori per le fondazioni di palazzi (fig. 43).

Sempre nel settore occidentale della collina sono state individuate diverse cisterne, scavate nel banco tufaceo e aventi la forma di una campana molto ampia sul fondo, spesso collegata con camere laterali (fig. 44). Le cisterne erano utilizzate per le riserve d'acqua, della cui mancanza Gela dovette sempre risentire: in ogni caso, nonostante l'uso, esse avevano una decorazione superiore particolare, presentando all'imboccatura una vera circolare sostenuta da una base fittile tronco-conica con cordoni applicati all'esterno, che era appoggiata al collo della cisterna; sulla fascia esterna dell'imboccatura sono applicate delle maschere gorgoniche o di figure maschili (Sileni?).

Meritano un cenno particolare alcuni complessi ritrovati in questo settore della collina e in primo luogo va ricordato l'impianto termale dei «bagni pubblici», che fu scavato agli inizi degli anni Sessanta (fig. 45, tav. 53)[34].

Il complesso venne alla luce nei pressi dell'Ospizio di mendicità e di esso fu esplorata un'area ampia mq 220: constava di due distinti ambienti, coperti dal tetto a tegole piane e in origine separati da un muro in mattoni crudi, intonacato sulla superficie, di cui restavano

Fig. 43

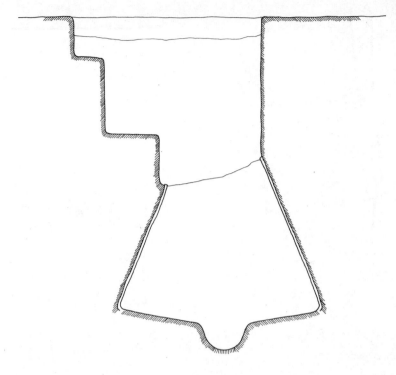

Fig. 44

tracce della fondazione. Del primo ambiente (contrassegnato dal numero 1) facevano parte due gruppi di vasche, disposte in un caso
(gruppo A) in numero di 14 a ferro di cavallo, ai lati di un pavimento
di lastre quadrate di terracotta; tutte le vasche del gruppo A sono del
tipo a sedile, con cavità emisferica nella parte inferiore per immer-
gervi i piedi. Mentre alcune vasche sono in terracotta, altre sono costruite con un impasto di detriti di arenaria e frammenti di terracotta,
e rivestite di intonaco bianco; è probabile che queste ultime sostituirono, in un momento di ammodernamento dell'impianto, precedenti
vasche fittili logorate.

Le vasche del gruppo B, conservate in numero di 15, erano disposte a cerchio attorno ad un'area pavimentata con intonaco; di nessuna
di esse, originariamente in numero di 22 e con cavità emisferica, risultava conservata la parte superiore e ciò ha indotto lo scavatore a pen-

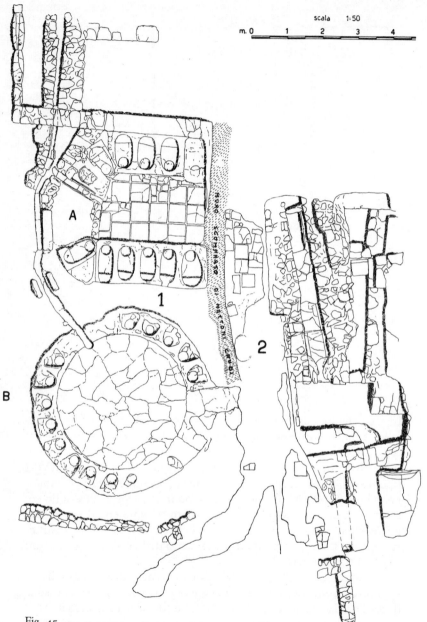

Fig. 45

sare che lo stabilimento termale non fosse stato mai portato a termine, essendo sopravvenuta la fine della città ad opera di Phintias.

I due gruppi di vasche, poste all'interno di un ambiente chiuso e coperto, erano collegate ad un complesso sistema di condotte utilizzate per convogliare l'acqua all'esterno.

Un ambiente particolare era quello contrassegnato dal numero 2, pavimentato, con camere e corridoi sotterranei separati da strutture di pietrame e tegole, ma collegati da canalette; esso era destinato a saune o a bagni d'acqua calda ed era riscaldato dalle condotte sotterranee in cui veniva bruciata la legna; infatti, nella camera ipogeica è stata ritrovata abbondante cenere.

Il complesso termale di Gela, unico esempio di età ellenistica in Sicilia, distrutto nel 282 a.C., trova confronti con impianti del genere scoperti in Grecia, ad Olinto, a Colofone, a Gortys in Arcadia, a Delfi, databili tra il IV e il III secolo a.C.; un esempio simile nell'isola sarebbe costituito dallo stabilimento di Siracusa, che è comunque più tardo (seconda metà del III secolo a.C.).

La floridezza di Gela nella seconda metà del IV secolo a.C. è provata ancora da una villa suburbana scoperta sempre a Capo Soprano, nella proprietà Panebianco, in prossimità del mare (fig. 46)[35].

La villa doveva appartenere a gente facoltosa e mostrava un notevole sfarzo, sia nella tipologia strutturale che nella decorazione architettonica. Gli ambienti che la componevano erano delimitati da muri di blocchetti regolari rivestiti di intonaco colorato e il loro pavimento era in cocciopesto, interrotto davanti all'ingresso da un mosaico decorato da articolati motivi a meandro in bianco e nero; un vano della villa aveva al centro un *impluvium* con interno a mosaico di tessere bianche.

Stupì il rinvenimento di un capitello in arenaria decorato da foglie d'acanto e di due elementi scultorei in arenaria raffiguranti due teste di mostri marini (pistrici), utilizzati come grondaie; esse, insieme a resti di cornicione a dentelli, facevano parte della ricca ed elegante decorazione architettonica della villa, la quale dovette essere abitata per tutto il IV e parte del III secolo a.C. (tav. 54).

L'area sulla quale era stato impiantato il complesso abitativo ellenistico risultò però già frequentato in età arcaica, forse come luogo di culto, ipotesi alla quale farebbero pensare i resti di antefisse gorgoniche, un frammento di aruletta fittile decorata da un felino a rilievo, nonché un'iscrizione dedicatoria di un certo Philistidas.

Ma la zona di Capo Soprano era stata occupata anche da complessi

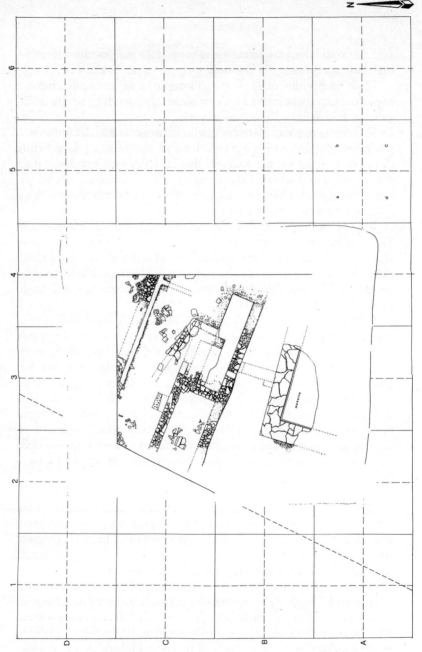

Fig. 46

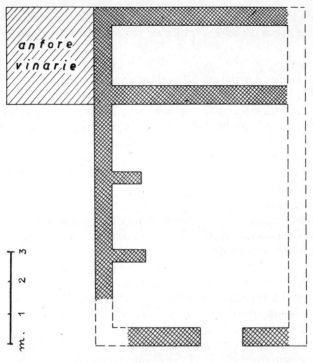

Fig. 47

artigianali, un esempio dei quali è dato da una bottega venuta alla luce negli anni cinquanta nell'area dell'attuale Ospedale (fig. 47); essa era a pianta rettangolare, con due vani orientati est-ovest, uno dei quali fungeva da "cella vinaria" ed era pieno di anfore schiacciate[36]. Il complesso era simile a quelli ritrovati da P. Orsi in altri punti di questa parte della collina (Predio Salerno, Predio Di Bartolo, Predio Leopardi, ecc.) interpretati dall'archeologo come ambienti rurali: da un ambiente dal Predio Romano furono recuperate monete di Timoleonte e di Iceta, oltre ad un tesoretto di gioielli.

L'identificazione dell'ambiente con una bottega è stata suggerita dal rinvenimento di numerose terracotte figurate, tra le quali vi era un'antefissa riproducente un volto femminile, forse Artemis Bendis, tratta da una matrice di tipo tarantino, ed ancora un'antefissa a testa gorgonica, che pur rientrando tra i tipi ellenistici, mostra chiari segni di una ripresa di schemi e modelli arcaici, variati nei tratti del volto e dei capelli tanto da potere essere considerata quasi una riproduzione

tratta da una matrice arcaica ritoccata ovvero da una matrice ellenistica, che aveva copiato un originale più antico (tav. 55).

## La produzione artistica e la circolazione monetaria

Spiccano tra le terracotte figurate ritrovate nella bottega i busti e le
testine femminili, molte delle quali del tipo cosiddetto «tanagrino»,
con destinazione funebre, ed ancora le statuette femminili con la capigliatura a «chignon» sul capo (tav. 56), panneggiate e appena ince-
denti o avvolte dal vestito dalle pieghe rigonfie: esse sono databili al-
l'ultimo decennio del IV sec. a.C.

Le abbondanti figurine fittili prodotte nelle officine della città, che
in età timoleontea avevano ripreso in pieno la loro attività, sembrano
adeguarsi ai canoni della plastica e della scultura d'epoca ed appaiono
segnate dalle forme morbide e flessuose del corpo, atteggiante alla
danza o ad un movimento rotatorio, il quale è accentuato dalle pieghe del vestito, segnate dal caratteristico motivo a conchiglia; anche
la testa con capigliatura a «chignon» o con morbide masse ondu-
late, con la sua torsione laterale o l'inclinazione patetica del capo, ac-
centua il movimento della figura[37] (tav. 56).

Una classe di oggetti particolari prodotta nelle botteghe di figuline
geloe è costituita dagli *oscilla* fittili decorati a rilievo con la testa di
Medusa, con il volto «paffuto» incorniciato dalla massa dei capelli
ovvero impresso su ambedue le facce del disco; abbondanti sono anche gli *oscilla* con il volto della Medusa incorniciato dai capelli ricciuti
o «anguicriniti in basso». Talvolta questa classe di oggetti appare decorata da una volto di donna, con la caratteristica acconciatura a
«mellone», o dal volto maschile barbato con *leonté* sul capo, riproducente Eracle di tipo lisippeo, come aveva ben visto l'Orsi[38]; una volta
sola compare su un *oscillum* la raffigurazione di Scilla che nasce da un
motivo floreale in forma di rosetta mentre afferra con le mani l'estremità della coda di un pesce (tav. 57).

Tra le statuette maschili di produzione locale, piuttosto rare, sono
da considerare l'Hermes *krioforos*, tipo già presente nella produzione
di stile severo, ma che presenta caratteri nuovi e «anticlassici», riferibili al gusto dell'artigianato siceliota[39]; tra i gruppi di figurette maschili sono da considerare ancora le statuette di Eros alato, con l'acconciatura ad alto nodo, il corpo nudo avvolto da un mantello sulle
spalle e in violento movimento verso destra: la figura, tratta da matrici

ritrovate intatte, richiama gli Eroti della ceramica italiota e siceliota.

Ma le officine locali si sbizzarrirono anche nella creazione di figurette comiche, dai lineamenti grotteschi, ovvero dal volto scimmiesco e di negretti, in cui vennero evidenziati caricaturalmente i tratti somatici.

Se le terracotte fittili documentano l'alto livello artistico tenuto dalle officine locali, i vasi a figure rosse prodotti nelle officine siceliote provano la diffusione nella città di opere di maestri ceramisti attivi proprio nella seconda metà del IV secolo a.C. e i cui manufatti, pur avendo una circolazione in ambito regionale, avevano sostituito quelli d'importazione attica, la cui produzione era cessata alla fine del V secolo a.C.

A Gela circolavano i vasi del Pittore di Lentini, dei Pittori del Gruppo «Scordia-Painter» e del Pittore di Manfria, quest'ultimo così chiamato da un gruppo di vasi trovati in una fattoria-officina di quella località scoperta dall'Adamesteanu in località Mangiatoia [40].

Le forme vascolari della ceramica siceliota predilette dal mercato gelese erano i crateri a campana e gli *skyphoi* con soggetti di Eroti, di Satiri danzanti, di personaggi dionisiaci, di donne assise o danzanti, di suonatrici di *tympanon*, riccamente ornate di armille e gioielli nei vivaci colori giallo e bianco (tav. 58).

Non mancano le ceramiche a figure rosse di produzione campana, presenti soprattutto nelle tipiche forme di piatti da portata, e quelle d'importazione pestana, fabbrica alla quale può essere riferito lo *skyphos* con scena di farsa popolare del Pittore di Asteass (tav. 59) [41].

Anche i vasi a vernice nera decorati con tralci di vite o foglie di edera in bianco e giallo nello stile «Gnathia», trovati in più punti della città ellenistica confermano la presenza a Gela di prodotti vascolari largamente diffusi, peraltro, anche in altri siti della Sicilia.

L'abbondante ceramica a vernice nera e di uso comune ritrovata nelle abitazioni e nei vari complessi, sotto lo strato di bruciato che segna la loro fine — tra le cui forme si annoverano *kantharoi*, *skyphoi*, *kylikes*, coppe, piatti e *askoi* —, offre la chiara prova dello stato di agiatezza degli abitanti di Gela.

La ripresa intensa di vita nella città nel periodo successivo all'avvento di Timoleonte è indicato anche dalla circolazione monetale, che segna un intensificarsi dei rapporti commerciali con le altre città siceliote. Le serie di nominali più presenti nella città sono i *triantes* siracusani della serie «Pegaso» (D: testa di Apollo; R: Pegaso volante) ritrovati nel complesso dei bagni pubblici, nella cosiddetta casa-bottega, nei santuari di Contrada Carrubbazza, di via Fiume scalo ferroviario e dell'acropoli.

Tali monete circolavano insieme a bronzi coniati da Gela tra il 338 e il 282 a.C. (D: testa di Zeus o del dio fluviale, R: testa di Eracle imberbe con la *leonté*; D: testa di Demetra, R: testa di Gelas), a monete di Tauromenion, a nominali calabri di Terina e ad altre monete con legenda *kainon* e cavallo libero, di ignota città emittente, da identificarsi forse con Agrigento o Centuripe; il cavallo libero usato come impronta, assurto a simbolo della libertà, rispecchiava la fase democratica attraversata dalle città.

Anche durante il periodo di Agatocle la circolazione monetale è caratterizzata dalla presenza di nominali bronzei tipici del periodo (D: testa di Artemide Soteira e iscrizione Σωτειρα, R: fulmine alato e iscrizione Αγατοκλες Βασιλεος, D: testa di Kore, R: toro), da poche monete di zecca sicula-punica e da *litre* agrigentine o siracusane.

La presenza di stateri corinzi negli ambienti dell'epoca, con Pegaso in volo e testa di Athena con elmo corinzio[42], è da riconnettersi alla venuta di Timoleonte e alla sua politica di ricolonizzazione dei siti distrutti o abbandonati dopo le guerre puniche, come la stessa Gela; gli stateri aurei macedoni, di Filippo II e di Alessandro III, raccolti in un ripostiglio di C.da Scavone a Capo Soprano, provano, invece, l'interesse della Macedonia a tenere sotto controllo i traffici commerciali con l'Occidente[43].

I termini ultimi della circolazione monetale sono fissati da due bronzi di Iceta (D: testa di Zeus Hellanios; R: aquila sul fulmine: 288-279 a.C.), da bronzi di Phintias (D: testa di Apollo; R: aquila che volge indietro la testa: 287-289 a.C.) e da monete dei Mamertini (D: testa di Zeus, R: guerriero con asta alzata e scudo; D: testa di Apollo, R: Nike; D: testa di Apollo, R: guerriero seduto; D: testa di Ares, R: cavaliere presso il cavallo). Pochi sono i rinvenimenti monetali posteriori al 280 a.C. e sono costituiti da bronzi di Ierone e di Panormo (D/Giano bifronte; R/corona di alloro), che rappresentano le sole ed uniche testimonianze della città ormai abbandonata[44].

Che l'asse della vita commerciale a Gela nel periodo timoleonteo si fosse spostato a Capo Soprano è indicato dalla scoperta nella zona dell'attuale Porto Rifugio di una struttura muraria portuale, individuata sul fondo del tratto di mare antistante la fascia costiera: si tratta di un muro di blocchi squadrati, che si prolunga in mare per circa 100 metri, in direzione nord-est/sud-ovest e che è da interpretare probabilmente con un antemurale. Ciò rende possibile l'ipotesi che l'approdo o il porto della città, per il periodo di cui ci occupiamo, fosse stato spostato proprio in questa parte della collina, dove si erano concentrate la vita e le varie attività artigianali e commerciali[45]. La zona diventò il «caricatore» della città medievale e ancora oggi essa mantiene tale denominazione.

## Le mura di fortificazione di Capo Soprano

Non potremmo ritenere completo il quadro di Gela nel periodo antecedente alla sua distruzione del 282 a.C. se non parlassimo di un'opera di architettura militare, unica nel suo genere, che sorge proprio a Capo Soprano e cioè delle mura di fortificazione, che chiudevano da questo lato la città e che restano un mirabile esempio di struttura muraria a tecnica mista, per la cui costruzione fu richiesto un grande impegno anche di natura economica (fig. 48)[46].

Il perimetro delle mura di cinta è stato ricostruito con l'ausilio delle foto aeree e con l'integrazione di alcuni tratti di resti murari affiorati nel corso di scavi condotti in proprietà private.

Sul versante occidentale, in località Piano Notaro, le mura avevano uno sviluppo articolato e delineavano quasi una penisola, stretta e allungata, protesa sul territorio, a controllo della piana sottostante e a protezione, nel contempo, del tratto centrale delle mura stesse, dove si apriva una delle porte principali della città con la direttrice per Agrigento.

L'estremità occidentale del tratto di mura a Capo Soprano si protende come un cuneo verso la campagna e aggira poi il crinale della collina dal lato del mare sviluppandosi verso est, impostandosi sulle pendici che scendono a strapiombo sul mare.

Sul versante orientale la linea delle mura sembra interrompersi e coincideva forse con quella arcaica, poi ricalcata dalle mura federiciane.

Il tratto meglio conservato di questa poderosa opera di fortificazione è stato messo in luce a Capo Soprano (tav. 60); esso ha uno sviluppo lineare di m 360 ca., uno spessore di m 3 ca. e si è conservato in buone condizioni, per un'altezza media di m 3,20, perché rimase sepolto da una spessa coltre di sabbia. Infatti, il contiguo tratto nord-occidentale, che era rimasto scoperto, subì la spoliazione in epoca medioevale.

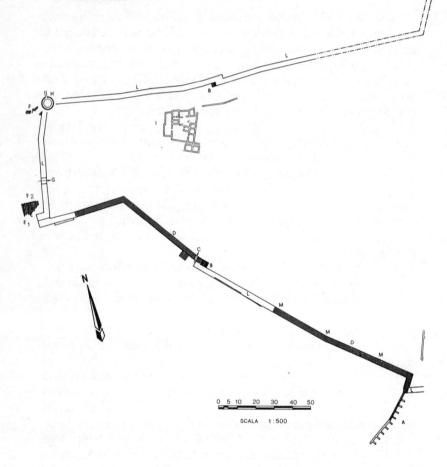

A - muro a contrafforti
B - scale di accesso al cammino di ronda
C - postieria
D - tratto con sopraelevazione in mattoni crudi
E - torre sud-ovest
F - area di torri in mattoni crudi
G - porta ovest
H - fornace medievale
I - area edifici militari
L - muro in conci squadrati
M - canalette di scolo

N

0  5 10    20    30    40    50
SCALA    1:500

Fig. 48

La cortina muraria in luce è costituita inferiormente da due paramenti di blocchi di calcarenite, di diverse dimensioni, spesso bugnati sulla faccia esterna (L), e con *emplekton* di pietrame e terra; la sopraelevazione è in mattoni crudi, disposti a corsi regolari, perfettamente isodomi, legati da argilla e sabbia di colore scuro ed erano forse originariamente ricoperti da un'intonacatura di colore rosso (D).

Gli archeologi hanno distinto nella sopraelevazione in mattoni crudi tre diverse fasi cronologiche, la prima delle quali contemporanea alle mura timoleontee in pietra, la seconda e la terza successive, databili tra l'età di Agatocle e il 282 a.C.

La sopralevazione di età agatoclea, resasi necessaria probabilmente per l'insabbiamento della struttura muraria, aveva riportato il muro all'altezza originaria, che risultò così completato da un camminamento di ronda con merlature regolari. Ai camminamenti si accedeva mediante due rampe di scale, poste rispettivamente, una lungo il lato nord-occidentale e l'altra all'interno del lato meridionale del muro. Quest'ultimo era difeso da torri, a pianta rettangolare, distribuite lungo la cortina per rafforzare le difese degli ingressi; tre di esse sono disposte agli angoli dell'avancorpo occidentale (F1), una in prossimità della cosiddetta fornace medievale, l'altra sulla sinistra della porta ovest (F2); la terza, quasi all'angolo del tratto sud-occidentale (E1). Un'altra torretta proteggeva la postierla (C). Le prime due torrette furono costruite insieme alla struttura di fortificazione; le ultime due, invece, furono aggiunte in un momento successivo, forse nel momento della conquista di Agatocle e della creazione della sua base militare a Gela contro i Cartaginesi. A questi avvenimenti sono stati riferiti sia le brecce aperte sul versante meridionale della struttura, sia alcune casermette in mattoni crudi realizzate all'interno della cinta muraria, lungo il lato nord (I), ed inoltre la costruzione di un tratto di muro a contrafforti, in conci lapidei (A), di non accurata fattura, che si addossa a sud-est alla cortina timoleontea, prolungandosi poi verso il mare.

Due ingressi si aprivano nella cortina muraria: il primo è una porta di tipo dritto e stipiti ad ante, coperta da architrave, che fu murata a più riprese con mattoni crudi (G); la seconda è una postierla con copertura ad arco ogivale, che venne tamponata, per motivi di sicurezza, in un momento successivo alla sua stessa realizzazione (C).

In mancanza di dati di scavo più precisi e di un'indagine approfondita sulle fondazioni della cortina lapidea, che sarà avviata quanto prima, riteniamo necessario riferire le due tesi avanzate dagli studiosi

circa la datazione della cinta muraria, la quale da alcuni è stata assegnata ad età timoleontea, sulla base dei materiali ceramici e delle litre
d'argento di Gela (D: testa di Zeus; R: testa di Eracle imberbe), di
Agrigento (D: testa di dio fluviale; R: Aquila) e di Siracusa (D: testa
femminile a destra; R: mezzo Pegaso a sinistra) circolanti proprio
nella seconda metà del IV secolo a.c. e ritrovate nei depositi votivi
alla base del muro.

Gli stessi studiosi attribuiscono i successivi rifacimenti e le trasformazioni della cinta muraria ad Agatocle, sulla base dei reperti ritrovati nello strato di sabbia, che aveva in parte obliterato la struttura
lapidea, e su una serie di osservazioni fatte sulla sopraelevazione in
mattoni crudi, che subì aggiunte e occlusioni nelle merlature[47].

Altri studiosi, invece, preferiscono datare l'opera muraria al V secolo a.C. ed attribuirne le trasformazioni o le modifiche agli eventi
della guerra punica[48].

Fa eccezione fra tutte le trasformazioni evidenziate, la costruzione
di una fornace in mattoni crudi, visibile nell'angolo nord-ovest della
cinta, larga m 6, la quale è stata datata ad età medievale (H).

Certo è comunque, in ogni caso, che tale fortificazione assicurava
alla città una difesa notevole, soprattutto ai quartieri abitativi, ubicati
nel settore occidentale della collina, da cui restavano fuori le necropoli; queste ultime in età ellenistica erano state dislocate nelle aree
a nord della città, a Costa Zampogna e a Piano Notaro[49].

## Le necropoli e le fornaci

Le aree sepolcrali distribuite a nord delle mura di cinta, nelle località Costa Zampogna e Piano Notaro, erano con tombe ad inumazione
in sarcofagi fittili o in fossa scavate nel calcare e i loro corredi erano
composti esclusivamente da unguentari, lucerne, *olpai* e vasetti
acromi, databili a non oltre il 282 a.C., e non avevano più la ricchezza
di quelli di età arcaica e classica. Raramente compaiono nei corredi
anche le statuette di figure femminili del tipo cosiddetto «tanagrino», avvolte in un morbido vestito panneggiato, adattato al movimento del corpo, che sono preziose per la naturale eleganza delle
forme e la ricca policromia.

È probabile che i materiali ceramici dell'epoca venissero prodotti
in loco, come documenta uno scarico di fornace trovato nell'attuale
quartiere Borgo e contenente tra l'altro scarti di varie parti di vasel-

lame, vasi a vernice nera e acroma, manufatti vari e un modellino fittile di barchetta di destinazione cultuale[50]; questo scarto di fornace dà un quadro interessante dell'attività dei figulini geloi, eredi dei più grandi coroplasti dell'età arcaica e classica.

Anche i materiali delle sepolture non sono databili oltre il 282 a.C., segno dell'abbandono della città; le poche rare monete di Ierone II, contrassegnate dalla testa del sovrano e da un cavaliere al galoppo[51] i rari unguentari fusiformi, i frammenti di ceramica del tipo cosiddetto caleno, con testa di Dioniso a rilievo in un medaglione, trovati in superficie nel corso V. Emanuele e in una cisterna, confermano la desolazione del sito ormai distrutto.

Solo il territorio circostante continuò ad essere coltivato e abitato da contadini, che occuparono gli insediamenti rurali, come dimostra la fattoria di Piano Camera dalla quale proviene un asse con Giano bifronte.

## Personalità letterarie del IV secolo a.C.

Non possiamo ritenere concluso il capitolo relativo al IV secolo a.C. se non accennassimo ad alcuni personaggi di Gela, che si sono distinti nel campo letterario e scientifico: il primo è Apollodoro, vissuto ai tempi di Menandro, autore di alcune commedie, delle quali abbiamo solo i titoli: *Quello che si lascia morir di fame*, *Amor fraterno*, *La sacerdotessa*, *Sisifo*, *Escrione*. Apollodoro, secondo Diogene Laerzio[52], vinse tre volte nelle Dionisie urbane e cinque nelle Lenee. Altra personalità letteraria dell'epoca fu Archestrato, autore di un poema in esametri, del quale Ateneo tramanda il titolo in varie forme (*Hedypátheia*, *Deipnología*, *Gastrología*, *Opsología* ecc.) e di 62 frammenti per più di 300 versi. Ateneo definì Archestrato «l'Esiodo o il Teognide dei ghiottoni», in coerenza con l'impostazione didascalica del poema, comunque pervaso di umorismo che addirittura ispirò anche un'opera gastronomica di Ennio, il padre dell'*epos* latino.

Un altro personaggio illustre di Gela fu il medico Pausania, allievo di Empedocle, autore dell'opera *De Apno*, nella quale egli dava consigli medici sul modo di sopravvivere senza cibo.

Nel III secolo a.C. Γέλας dette i natali al filosofo Timagora, allievo di Teofrasto.

# VII

# Gela e il territorio in età romana: le fonti, gli insediamenti abitativi e i complessi ipogeici, i «praedia» Calvisiana e di Galba, la diffusione del cristianesimo; la «massa Gelas»

Dopo la distruzione del 282 a.C. Gela venne abbandonata e i suoi abitanti furono trasferiti a Finziade, localizzata nel sito dell'odierna Licata; la città da allora non fu più ripopolata fino ad età medievale. Isolati rimangono i casi di un insediamento tardo repubblicano in località Caricatore, presso Capo Soprano[1], e del complesso di Bitalemi.

Probabilmente gli abitanti, dopo quella fatidica data, trovarono rifugio oltre che a Finziade, anche nella regione agricola, che si estende tra le vallate del Gela e del Maroglio (fig. 2c).

Di Gela però rimase un pallido ricordo negli autori latini: Cicerone, ad esempio, la annovera come una «civitas decumana»[2]; Virgilio cita i campi geloi, che compaiono al navigante Enea dopo Camarina ricordando: ... *immanisque Gela fluvii cognomine dicta*[3].

Anche Plinio accenna a Gela come ad una città con autonomia municipale[4], mentre Strabone, nella sua *Geografia*, la indica alla distanza di 48 miglia da Agrigento, dopo Plintis, ma spopolata[5]; Tolomeo la ricorda insieme a Camarina come una città mediterranea, a 10 miglia dalla spiaggia[6].

Nel III secolo l'*Itinerarium Antonini*, come avremo modo di trattare appresso, segna la *plaga Calvisiana* al posto di Gela[7].

Ma un vasto abitato si era costituito all'estremità occidentale della piana, in contrada Monumenti, sulle colline di Manfria, vicino alla foce del torrente Comunelli, proprio nel punto in cui il geografo arabo Edrisi collocava il porto di Butera[8]; esso è stato identificato con il *refugium Chalis* segnalato nell'*Itinerarium Antonini*, lungo la strada litoranea da Siracusa ad Agrigento[9].

L'insediamento abitativo di Manfria constava anche di un grande impianto termale, mentre le necropoli ipogeiche e subdiali paleocristiane erano disposte nelle vicinanze, sulle balze rocciose, che marginano ad ovest l'intero sistema collinare. Le tombe sfruttarono ingrottamenti di età preistorica riadattati, ma sulle pendici delle colline furono ricavate anche tombe a cassa o ad arcosoli.

Gli ipogei di questo complesso sono a pianta semplice, con camera quadrangolare preceduta da un corridoio e all'interno ospitavano tre o quattro sepolture a cassa, due delle quali, disposte trasversalmente sul fondo, erano ad un livello lievemente sopraelevato.

I corredi ceramici ed una lucerna africana con rosone sul disco e ramo di palma inciso sotto il fondo (tipo VII *a* 1 *c*) hanno permesso di assegnare al IV-V secolo d.C. l'uso della necropoli, in gran parte poi profanata [10].

Alla stessa epoca si data un cippo funerario pagano, recuperato casualmente, con la dedica in caratteri greci fatta da un certo Mannas alla moglie e al figlioletto, che sarebbe da intendersi come una testimonianza residua dell'antica tradizione pagana, ancora radicata nel territorio geloo, nel periodo medio e tardo imperiale.

Durante l'età romana anche nella *chora* gelese si registra una notevole densità di insediamenti, molti dei quali, di tipo rurale, sono stati individuati grazie alle prospezioni topografiche effettuate nell'ultimo trentennio nella pianura ad est del Gela.

Uno di questi era sorto a Casa Mastro, presso la diga secentesca, che convoglia l'acqua del Maroglio nel bacino del Biviere; in tale zona sono stati rinvenuti sarcofagi monolitici, un anello bronzeo con croce e tegoli con bollo *cal/calvi* [11], per cui è stato proposto di localizzare in quel luogo la *mansio Calvisiana*, segnalata nell'*Itinerarium Antonini*, ad appena 7 km di distanza da Grotticelli. È questa una collinetta rocciosa su cui insiste un complesso catacombale, sviluppatosi da una più antica e più piccola catacomba, e organizzato in loculi e cunicoli distribuiti attorno ad uno spazio centrale, definito agli angoli da pilastrini e diaframmi rocciosi [12].

Altri insediamenti, abitati già dall'età ellenistica fino ad età tardo imperiale, sono stati riportati alla luce nelle contrade Tenutella Rina, Piano Tenda, Chiancata, Sabuci, Priolo, Cimia, ai piedi di Monte Bubbonia [13] (fig. 2c).

L'organizzazione di due diversi tipi di impianti abitativi dell'epoca è stata resa possibile grazie all'esplorazione e allo studio di due complessi, uno a Bitalemi e l'altro a Piano Camera.

Il primo utilizzato, come abbiamo avuto modo di dire, già in età arcaica e classica come sede di un santuario dedicato alle divinità ctonie, dopo un lungo periodo di abbandono fu occupato in età imperiale da un nuovo complesso, identificato dall'Orlandini con una fattoria, le cui strutture perimetrali con blocchi a rozza squadra risultavano poggiate sui resti degli edifici più antichi, dei quali avevano pure reimpiegato parzialmente i materiali di costruzione[14].

Secondo lo scavatore la frequentazione della collina era ripresa soltanto nel I secolo d.C., come suggerirebbero le monete di età augustea (un bronzo di Agrippa) e di età flavia e i frammenti di terra sigillata italica, tra cui va evidenziato quello di coppa firmata da N. Naevius Hilarius, ceramista sotto Tiberio, con pregevole raffigurazione di festoni retti da maschere sileniche. Dopo di allora ci sarebbe stata un'interruzione di vita ed una successiva occupazione nel III-IV secolo d.C. con l'edificazione dei nuovi edifici.

Ma la presenza di coppe del tipo Lamboglia 2*a*, 1*a*, 1*b*, 1*c*, in sigillata africana, e di coppe-coperchio tipo Ostia III proverebbe, invece, che la zona fu abitata ininterrottamente per tutta l'età imperiale, mentre la sua ultima fase di uso sarebbe segnata dalla presenza di scodelle in sigillata D (fig. 49 *a*, *b*, *c*) e di frammenti di anfore africane del IV-V secolo d.C.[15].

I pochi avanzi murari del periodo romano non consentono di ricostruire con certezza lo schema planimetrico dell'impianto sorto sulla collinetta di Bitalemi; probabilmente i singoli corpi di fabbrica, di forma quasi quadrangolare, si svolgevano attorno ad un cortile centrale (fig. 34 indicate con la lettera R), ripetendo modelli insediamentali siciliani, tipici del periodo.

Dagli ambienti del complesso provengono macine di arenaria per il grano, anfore africane del tipo Pelichet 47, anfore spagnole del tipo Dressel 20, associate a lucerne, catini, casseruole e a ceramiche africane da cucina e da mensa, che fissano la datazione al III-IV secolo d.C., così come confermato dalle monete di Gordiano III e di Costanzo II.

In tutta l'area degli ambienti e attorno ai loro muri furono raccolti tegoli romani con bolli *calv-calvi*, *sab*, dello stesso tipo di quelli rinvenuti a Tenutella Rina e a Casa Mastro (tav. 61). La loro presenza ha suggerito di identificare nel territorio gelese la *mansio Calvisiana*, ricordata nell'*Itinerarium Antonini* e nella *Tabula Peutingeriana* e il cui toponimo persistette anche nell'età medievale, come testimoniano il Geografo Ravennate e Guido[16].

Nell'*Itinerarium Antonini* la *mansio Calvisiana* è menzionata due

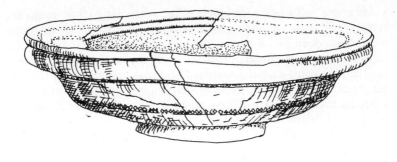

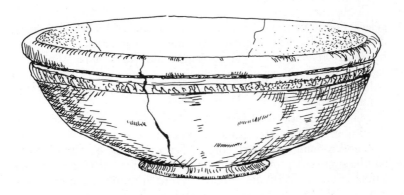

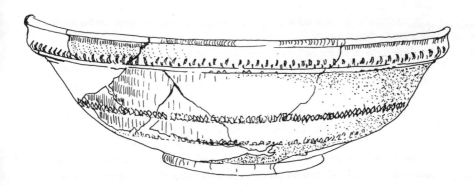

Fig. 49

volte: come unica tappa tra Hybla e Agrigento, lungo il percorso interno tra Siracusa e Lilibeo e sulla via per *maritima loca* da Agrigento a Siracusa, dove essa è addirittura indicata come plaga, insieme ad altri piccoli centri costieri prossimi ad insenature [17]. Si tratterebbe quindi nel nostro caso dei *praedia Calvisiana*, indicati negli *Itineraria*, rientranti nel *cursus publicus* dell'Impero, estesi su un'area di circa 2 kmq fino al mare, e il cui nodo di traffico interno sarebbe costituito dal sito di Casa Mastro.

Il toponimo del *praedium* derivava dal nome del proprietario, i cui possedimenti ricadevano nella zona tradizionalmente granaria dell'isola e, come in altri casi frequentemente riscontrati per quei tempi, potevano coincidere con un emporio, sbocco naturale della stessa proprietà terriera.

Conosciamo finanche il nome del proprietario di questo latifondo gelese: era un certo Calvisianus, *corrector Siciliae* nel 304 d.C., forse discendente di quel C. Calvisius Sabinus, comandante della flotta tirrenica di Ottaviano o di quel Calvisius Tullus Ruso, avo di Marco Aurelio. In ogni caso, comunque, era un esponente della classe senatoriale, visto che tale nome era alquanto comune tra la gente di quel rango.

Ma del latifondo avrebbe preso possesso poi un altro personaggio, il cui nome è pure attestato sui bolli dei tegoli raccolti attorno agli ambienti romani riportanti, come a Tenutella Rina e a Casa Mastro, l'indicazione *sab*, probabilmente un'abbreviazione di Sabucius Caecilianus, *consul suffectus* nel 186 d.C. ovvero di Sabucius Pinianus della gens Valeria, un ricco latifondista siciliano del IV secolo d.C., appartenente alla famiglia dei Sabucia, ovvero di Rufius Caeonius Sabinus, *augur* e *pontifex* nel 377, parente di un esponente di quella famiglia che, secondo il Carandini, sarebbe stata la committente della villa di Piazza Armerina [18].

Il *praedium* di Bitalemi dovette avere una notevole importanza nel contesto della viabilità di tutta la costa occidentale dell'isola, i cui grossi centri di smistamento erano però soprattutto Agrigento e Lilibeo, collegati con l'Africa.

Ma esso, proprio per la sua posizione in prossimità della foce del Gela, potrebbe essere meglio identificato, a nostro avviso, con un emporio in cui venivano raccolti e smistati i prodotti agricoli dell'entroterra, in partenza per i centri portuali dell'isola, in cambio di quelli provenienti dall'Africa; da lì la merce poteva essere poi diffusa all'interno, risalendo ancora il corso del fiume, come era avvenuto in età greca con l'emporio di Bosco Littorio [19].

La sua presenza, modesta rispetto alla grande colonia rodio-cretese, dimostrerebbe però che il territorio gelese, anche se non totalmente abitato, continuò ad avere nel periodo romano un ruolo importante nella gestione dei traffici commerciali.

Un altro complesso di età imperiale, che offre elementi interessanti per la ricostruzione della organizzazione degli insediamenti rurali e della distribuzione dei latifondi senatori, è quello di Contrada Almatella-Piano Camera, nella pianura ad est del Gela, in prossimità del torrente Cimia, non lontano dall'altro sito romano della Petrusa di Niscemi.

Nella zona si estendeva una grande fattoria, che visse, pur con due diverse fasi costruttive, per tutta l'età imperiale, impostandosi sugli avanzi del periodo greco, e che è stata oggetto di specifiche ricerche archeologiche[20].

I resti murari affiorati in maniera più consistente sono quelli di una fattoria abitata tra il II e il III secolo d.C., formata da almeno sette vani, di forma rettangolare, disposti attorno a cortili, alcuni dei quali coperti e lastricati. Le sue strutture perimetrali, orientate nord-est/sud-ovest, erano costruite con pietrame di varia pezzatura, rinzeppati con terra e tegole.

Una seconda fattoria si sovrappose nell'area tra il IV e il V secolo d.C. con un'organizzazione planimetrica totalmente differente dalla precedente, completata da un grande vano adibito a cucina e anche da una figlina per la produzione in loco di oggetti fittili (tav. 62).

Dagli strati di uso delle due fattorie è stata registrata la assoluta preponderanza di ceramica importata da officine dell'Africa, la quale a partire dall'età flavia, aveva imposto sul mercato i vasi fini da mensa e i vasi di uso comune, determinando il declino degli *ateliers* italici. L'imponente flusso commerciale organizzato sull'asse Cartagine-Roma, interessava in maniera predominante anche la piana di Gela, almeno fino alla fine del V secolo, quando, forse a causa delle incursioni dei Vandali, si fermano le importazioni di prodotti da quel continente[21].

Abbondante è la presenza nella prima fattoria di ceramica in terra sigillata A, nelle forme Lamboglia 4/36 A, 4/36 B e 9/*a*, databili al II-III secolo d.C.

Nella seconda fattoria sono attestate, invece, le ceramiche in terra sigillata D, importata dalla Zeugitania, quali le scodelle del tipo Hayes 58, 91, 93 a e 93 B, i piatti del tipo Hayes 60 e Lamboglia 2/9 e i vasi a listello.

Ricca è soprattutto la documentazione di ceramica da cucina africana, a patina cenerognola e orlo annerito, di ceramica da fuoco, di coperchi e casseruole, prodotti negli ultimi due secoli dell'impero a Pantelleria.

Appare del tutto scarsa la presenza di ceramica di uso comune di produzione locale, perché la mano d'opera africana aveva un costo minore e, pertanto, risultava vantaggioso importare i prodottti da quel continente, così come accadeva per le anfore e per le lucerne, queste ultime presenti soprattutto nelle forme classificate come VIII e X.

Sempre all'Africa, e precisamente alle officine della Bizacena, sono riconducibili i pochi frammenti in sigillata C, peraltro scarsamente attestata in Sicilia, tra i quali si evidenzia il frammento di coppa tipo Hayes 53 B, decorato con la scena del miracolo del paralitico, sul quale avremo modo di tornare (tav. 63).

Dallo studio delle fattorie di Piano Camera è venuto un contributo importante per la conoscenza della costituzione del latifondo senatorio, affiancatosi in Sicilia a quello imperiale e formato da vaste proprietà terriere, che per lasciti ed eredità avevano assunto sempre più notevoli dimensioni.

L'abbondante produzione nella Sicilia di grano, ulivi e uve pregiate, ricordata dalle fonti antiche, aveva fatto sì che l'isola non solo assumesse un ruolo importante nell'economia dell'impero, ma anche una funzione particolare di ponte tra l'Africa e Roma, soprattutto a partire dall'età dei Severi. Ciò aveva indotto la classe senatoriale, ad aumentare i suoi possedimenti nell'isola, per assicurarsi il controllo di aree vitali per il rifornimento annonario dell'Urbe[22].

E nel territorio gelese ricadeva appunto il latifondo di Galba, il cui nome è attestato dai bolli dei tegoli raccolti a Piano Camera e alla Petrusa di Niscemi[23], ed esteso fino nel territorio di Agrigento, dato che le tegole con l'indicazione del suo nome sono state raccolte anche in contrada S. Michele a Canicattì[24]. Si è in presenza dunque di una vasta proprietà terriera, di cui era padrone presumibilmente l'imperatore Galba, i cui possedimenti dovettero restare nella disponibilità del patrimonio imperiale anche dopo le confische di Vespasiano.

La gestione di questo latifondo, transitato negli ultimi secoli dell'impero nella proprietà di un certo *Egnatius*[25], pur esso esponente della classe senatoria, doveva essere affidata ad un *conductor*, affittuario delle terre, che si avvaleva di manodopera di coloni e di schiavi.

Il territorio gelese, con la documentazione dei *praedia* e dell'emporio di Bitalemi offre un esempio del modo in cui doveva apparire la

Sicilia durante l'età imperiale, mentre le testimonianze archeologiche provano che il cristianesimo si diffuse ben presto in questa parte dell'isola e forse proprio da lì poté irradiarsi anche nell'entroterra.

Infatti, le prime attestazioni della nuova religione, certamente non innovativa sul piano amministrativo ed economico, ma profondamente incisiva sul tessuto culturale e sociale si colgono anche nella regione centro-meridionale della Sicilia, che appare costellata, a partire dal IV-V secolo d.C. di cimiteri rurali connessi con le fattorie e con le ville padronali; esemplari a proposito sono i casi dei complessi catacombali di Grotticelli e di Manfria ai quali abbiamo accennato.

Un dato particolare per poter comprendere come il cristianesimo si era radicato nella zona è offerto dalla scoperta nella fattoria di Piano Camera di un frammento pertinente al fondo di una coppa in sigillata C 3, sulla quale è impressa una scena del tutto particolare (tav. 63).

Il personaggio raffigurato è un paralitico, vestito con gli *anaxyrides* e con una corta tunica a mezze maniche, stretta alla vita; egli avanza verso destra, volgendo il capo indietro in direzione del Dio benedicente — la cui presenza è intuibile dallo schema scenico — e trattiene con le mani, sollevato a mezz'aria, il lettuccio a corde intrecciate.

L'episodio raffigurato, raramente riprodotto iconograficamente, si ispira al racconto dei Vangeli, in cui il paralitico, obbedendo alla prescrizione di Gesù, si alzò e si incamminò ormai miracolato[26].

Il frammento, che proviene da un complesso rurale e faceva quindi parte dell'arredo della casa, assume un'importanza eccezionale perché dimostra che gli abitanti del sito, già nel IV-V secolo d.C., erano seguaci della nuova dottrina religiosa.

Tutto l'*hinterland* gelese tornò a spopolarsi alla fine del V secolo, forse in seguito alle invasioni dei Vandali e dei Goti prima e dei Bizantini dopo, l'arrivo dei quali è documentato al momento solo da una piccola necropoli sulla collinetta di Madonna dell'Alemanna, con tombe a fossa rivestite di lastre[27].

La notizia riportata da papa Gregorio nel *Registrum* delle sue Epistole, circa l'esistenza di una «massa Gelas» tra i latifondi transitati tra le proprietà della Chiesa[28], induce a credere che l'antico toponimo era ancora usato nel VI secolo e riferito a quella parte del territorio orientale della piana del Gela, popolata di insediamenti rurali, alcuni dei quali in epoca romano-imperiale gravitavano nel *praedium Calvisianum*.

Dopo di allora non si hanno più dati storici su Gela e sul suo territorio, forse abitato solo da contadini e coloni che continuavano a coltivare le terre della Chiesa; l'unico centro urbano nella zona, a detta delle fonti e dei riscontri archeologici, dovette essere Butera con il suo sbocco in mare di Marsa Butirah a Manfria.

## La fondazione federiciana di Heraclea

Notizie certe si hanno poi solo a partire dal 1233, allorché Federico II, sui resti della città greca, fondò Heraclea, così chiamata inizialmente per i resti di alcune colonne attribuite ad Eracle, e poi Terranova, denominazione che conservò fino agli inizi del nostro secolo[29].

Si trattava di una nuova colonia, sorta con il preciso disegno politico ed economico di fortificare una zona scoperta e per sfruttare a scopi agricoli le terre incolte. La scelta del sito cadde sulla parte orientale della collina, sede della città greca, e forse successivamente anche di un casale, dalla quale poteva essere reperito il materiale da costruzione; ma ciò è indicativo del carattere dell'imperatore che prediligeva i luoghi del mondo classico, del quale si riteneva erede e continuatore[30].

I coloni stavolta provenivano da Caltagirone e dalla Calabria e ad essi furono assegnate una casa ed un appezzamento di terra, con l'obbligo di coltivarla a vigneto e a cereali, in cambio del pagamento di un certo tributo annuale alla Chiesa[31].

La nuova città, cinta da mura con dieci torri di forma quadrangolare e circolare, ebbe un nuovo schema urbanistico, del tipo a *crux viarum*, con due assi principali molto larghi e strade secondarie e parallele, che determinarono sedici isolati. Il castello, in posizione marginale, fu costruito nella parte sud-occidentale della collina dove a tutt'oggi, nell'attuale piazza Calvario, è possibile vederne i resti ed una delle sue torri. Il porto fu, invece, collocato alle pendici di Capo Soprano, nella zona del Caricatore, che mantiene ancora tale denominazione[32].

Ben presto Heraclea crebbe demograficamente tanto da diventare, nel 1277, la quinta città della Sicilia con 8800 abitanti.

E quasi ricalcando l'esempio dei tempi precedenti i nuovi abitanti organizzarono le officine per la produzione locale delle ceramiche invetriate, decorate nel cavo da un motivo animale o vegetale (tav. 64), che richiesero l'impiego di esperte maestranze chiamate da qualche luogo vicino, forse da Caltagirone[33]; esse erano talmente apprezzate sui mercati da venire esportati in Italia e nell'Oriente, insieme ai prodotti agricoli del suolo, caricati sulle navi, che continuamente salpavano dal porto.

Bitalemi, invece, fu occupata già dal XIII secolo da una chiesa e nelle sue vicinanze trovò posto successivamente un'area sepolcrale con tombe a fossa terragna, che hanno restituito corredi di ceramiche smaltate[34] e monete di Federico III (1296-1377), di Federico il Semplice (1355-1377), 148 delle quali contenute in due sacchetti di stoffa.

Ma nuove tormentate vicende segnarono ancora il destino di questa terra sulla quale si abbatterono prima la pestilenza del 1347-48 e poi le scorrerie dei pirati barbareschi nel 1393, che determinarono il suo decadimento politico ed economico e la divisione in feudi del suo territorio, passato definitivamente nel 1453 alla famiglia degli Aragona[35].

L'insediamento medievale, forse proprio a seguito delle vicende infauste sopraddette, finì per restringersi solo nell'area attorno al Castello, mentre furono abbandonati i quartieri più periferici, conosciuti con il nome di terra vecchia dal Fazello[36] e dal Camillani[37], e che, proprio alla fine del Cinquecento, stavano per essere ricostruiti.

L'impianto medievale obliterò per secoli gli avanzi della splendida città greca, che dagli archeologi viene riportata alla luce metodologicamente, rimuovendo la spessa coltre di sabbia depositatasi sulle sue vestigia.

# VIII.
## La storia di Γέλας attraverso gli studi e le scoperte

Gli studi su Gela e la ricerca archeologica nel sito dell'antica colonia iniziarono molto tardi, solo alla fine del secolo scorso; prima di allora pochi autori e storici avevano lasciato nelle loro opere qualche cenno sui miseri avanzi di quelli che furono i grandi monumenti del passato glorioso della città.

Di Gela si era perso finanche il ricordo, perché sul sito della città greca Federico II aveva fondato Heraclea.

La perdita delle sue memorie storiche e le notizie delle fonti di epoca romana, che appunto come Strabone parlavano di Gela completamente abbandonata, indussero nel Cinquecento l'Arezzo [1] ed il Fazello [2] a localizzare il sito della colonia rodio-cretese nella città di Licata, che sorgeva presso l'Imera, il cui corso conservava il nome di Gela soltanto nel tratto prossimo alla foce.

Il Fazello, che visitò anche Terranova, ebbe modo di vedere i resti di un grande tempio e di una colonna con capitello e di notare che in più punti della città vi erano le tracce di vestigia, di materiali e di monete di antica produzione; ciò gli permise di ipotizzare l'esistenza di una precedente città greca, alla quale comunque egli non seppe dare un nome [3].

Successivamente l'Amico [4], seguendo il Cluverio [5], identificò Phintiade con Licata e Gela con Terranova e dette di quest'ultima una descrizione topografica di alcuni dei suoi monumenti e dei corsi d'acqua che scorrevano nelle vicinanze.

Il problema dell'identificazione del sito di Gela suscitò vivissime polemiche, spesso solo di carattere campanilistico [6], alle quali pose fine uno studio di G. Schubring, apparso nel 1873 [7], dove veniva tracciato il quadro geografico del territorio e del Gela, anche in relazione alla localizzazione dell'accampamento cartaginese, organizzato nei pressi della città durante la famosa battaglia del 405 a.C., ricordata da Diodoro[8]. Lo studioso tedesco ritenne però che l'acropoli di Gela fosse ubicata a Capo Soprano[9].

Da allora quasi tutti gli storici concordarono nel localizzare Gela sulla collina sulla quale era sorta Terranova, la ritennero più estesa rispetto alla città medievale e cinta da mura di fortificazione, il cui tracciato abbracciava l'intera altura[10].

Non vanno passate sotto silenzio le notizie di eruditi locali del secolo scorso relative ad alcuni monumenti antichi affioranti a Terranova e riguardanti gli avanzi del Tempio dorico del V secolo a.C., ridotto ormai a ben poca cosa[11], ovvero la scoperta di alcuni conci squadrati di mura apparsi intorno al 1850 a Capo Soprano a seguito dello spostamento delle dune di sabbia, che furono riferiti al teatro greco[12], la cui presenza era suggerita anche dal fatto che Eschilo aveva dimorato nella città e vi era morto[13].

Inoltre, gli esordi della ricerca archeologica a Gela sono legati ad un avvenimento non particolarmente entusiasmante, cioè alla necessità di porre fine ai saccheggi indiscriminati perpetrati a danno del ricco patrimonio archeologico del suo sottosuolo, che avevano preso più consistenza durante il secolo scorso.

L'attività di scavo clandestina, spesso organizzata da ricchi personaggi stranieri appositamente richiamati dalla fama dei ritrovamenti, aveva fatto sì che centinaia di vasi recuperati nelle necropoli greche della città finissero fuori dai confini dello Stato italiano incrementando le collezioni di musei stranieri, in particolare a Monaco, ad Oxford e a Berlino; ma alcuni vasi finirono anche nelle raccolte di privati cittadini italiani, nonché di amatori locali[14].

Nel 1864 il governo italiano, per arginare la piaga di tale illecita attività, decise di intraprendere, sotto la Direzione di G. D'Ondes, una campagna di scavi, i cui risultati furono pubblicati nel Bollettino della Commissione di Antichità e Belle Arti[15]; si trattò comunque di un breve episodio isolato, a cui fece seguito un lungo periodo di incontrollata ripresa dell'azione vandalica degli scavatori di frodo, che sembrava non avere tregua.

Fu solo nel 1898 che la Direzione archeologica di Siracusa incaricò Paolo Orsi di intraprendere la ricerca sistematica nel sito dell'antica colonia greca e per cinque anni, intervallati da periodi di pause, il grande archeologo avviò l'esplorazione delle vaste e ricche necropoli del Borgo e di Villa Garibaldi, dei santuari ubicati sul settore orientale della collina denominata ancora oggi Molino a Vento, nonché di alcuni luoghi di culto suburbani, quali quello di Bitalemi, pervenendo alla esatta descrizione della topografia della città antica: l'acropoli era situata a Molino a Vento e non a Capo Soprano come aveva supposto Schubring; l'abitato fino all'età classica doveva estendersi sulla dorsale della collina, all'interno del perimetro ancora circoscritto dalle mura medievali; le necropoli occupavano le zone ad occidente fino a Capo Soprano e Piano Notaro.

Vennero così alla luce i resti dei due grandi templi dorici, dedicati al culto di Atena, le fastose decorazioni architettoniche del tempio arcaico (tempio B), molti degli ex voto dedicati alla dea venerata sull'acropoli; tali importanti reperti, così come i corredi recuperati nelle tombe riportate allora alla luce, finirono a Siracusa dove oggi sono ancora esposti nel Museo Archeologico Regionale P. Orsi.

I risultati di quelle ricerche confluirono nella pubblicazione del volume *Gela. Scavi dal 1900-1905*, apparso nei Monumenti Antichi editi dalla Reale Accademia dei Lincei e curato dallo stesso Orsi.

Ma quella dell'illustre archeologo può considerarsi una parentesi felice, quasi un isolato episodio senza continuità: infatti, un trentennio di stasi segna la storia delle scoperte a Gela e bisogna attendere gli anni dopo la seconda guerra mondiale perché si possa ancora una volta tornare a parlare di un'attività di ricerca condotta con metodologia e rigore scientifico.

A tre grandi nomi dell'archeologia, Pietro Griffo, Dinu Adamesteanu e Piero Orlandini si deve la scoperta dei complessi sacri dell'acropoli, dei luoghi di culto sorti fuori dalle mura di cinta della città greca, degli impianti abitativi di età arcaica, classica e timoleontea, delle mura di cinta di Capo Soprano e delle necropoli. Questa messe di scoperte ha permesso ai tre studiosi di tracciare il quadro dell'organizzazione e della distribuzione topografica dei complessi urbanistici e monumentali di Gela dalle origini alla distruzione del 282 a.C.

Il fervore delle ricerche consentì anche di allargare l'esplorazione nell'entroterra gelese, fino a Caltanissetta, e ad occidente fino ad Agrigento, dove erano sorti appunto i centri fortificati e le *poleis* rodio-cretesi.

Proprio nel decennio tra gli anni '50 e '60 furono portate alla luce le vestigia di molti degli insediamenti fondati dai Geloi o ellenizzati dagli stessi e dallo studio dei livelli di frequentazione e dei resti delle strutture pertinenti ai loro antichi abitati furono tracciate le basi per la comprensione del fenomeno storico-politico dell'espansione geloa.

Tra gli anni '50 e '60 furono date alla stampa le relazioni degli scavi eseguiti a Gela e nel suo territorio extraurbano e furono pubblicate le più belle pagine dell'archeologia gelese[16]; nel 1963 apparve anche il magnifico volume *Gela. Destino di una città greca di Sicilia*, in cui P. Griffo trattò per la prima volta organicamente la storia della colonia greca e delle scoperte archeologiche, che avevano segnato i migliori anni della ricerca a Gela.

Dopo quelle fortunate ed importanti scoperte la ricerca archeologica non si è arrestata: altri illustri studiosi, Ernesto De Miro e Graziella Fiorentini, hanno continuato le indagini scientifiche in vari settori della città antica, riprendendo anche le ricognizioni nei punti già oggetto di precedenti scavi, restituendo così alla storia brani della vita dell'antica colonia, dai momenti precedenti la sua fondazione e fino al suo abbandono nel 282 a.C.[17].

Ancora oggi l'esplorazione continua; diversi scavi sono stati condotti negli ultimi anni nei siti di Dessueri, Garrasia, Manfria, Piano Camera e sull'acropoli[18] e ci auguriamo che le nuove scoperte e le altre che verranno possano completare i dati topografici e archeologici a disposizione, perché si possa scrivere una storia più approfondita e completa, che perpetui validamente la memoria dell'antica Γέλας.

# Elenco delle abbreviazioni

| | |
|---|---|
| AA | Archälogischer Anzeiger |
| AA.VV. 1978 | Insediamenti coloniali in Sicilia tra l'VIII e il VII sec. a.C. (Atti della 2ª Riunione scientifica della Scuola di Perfezionamento in Arch. Classica Univ. di Catania, Siracusa 24-26 novembre 1977), a cura di G. Rizza, Cron. Arch. 17, 1978 |
| AA.VV. 1980 | *La Sicilia antica* a c. di E. Gabba e G. Vallet, II, I, Napoli 1980 |
| AA.VV. 1985(a) | Greci e indigeni nella Valle dell'Himera. Scavi a Monte Saraceno di Ravanusa, Messina 1985 |
| AA.VV. 1985 (b) | *Sikanie. Storia e civiltà della Sicilia greca*, Milano 1985 |
| AA.VV. 1990 | *Da Nissa a Maktorion. Nuovi contributi per l'archeologia della provincia di Caltanissetta* |
| A.I.I.N. | Annali dell'Istituto Italiano di Numismatica |
| AJA | American Journal of Archaeology |
| AJPH | American Journal of Philology |
| ANN. ACC. MED. | Annali Accademia Mediterranea |
| AR | Atene e Roma |
| ARCH. CLASS. | Archeologia Classica |
| A.S.A. /Atene | Annuario della Scuola Archeologica di Atene e delle Missioni Italiane in Oriente |
| ASM | Archivio Storico Messinese |
| ASNP | Annali Scuola Normale Superiore di Pisa |
| ASS | Archivio Storico Siciliano |
| ASSO | Archivio Storico Sicilia Orientale |
| BCA | Bollettino Beni Culturali e Ambientali, Sicilia |
| BOLL. D'ARTE | Bollettino d'Arte del Ministero della Pubblica Istruzione |
| BOLL. SOC. IT. | Bollettino della Società Italiana |
| BPI | Bollettino di Paletnologia Italiana |
| CRON. ARCH. | Cronache di Archeologia |
| CVA | Corpus Vasorum Antiquorum |
| D. ARCH. | Dialoghi di Archeologia |
| FA | Fasti Archeologici |
| FEL RAV | Felix Ravenna |

| GRBS | Greek, Roman and Byzantine Studies |
| JHS | Journal of Hellenic Studies |
| KOKALOS | Studi pubblicati dall'Istituto di Storia Antica dell'Università di Palermo |
| M. A. L. | Monumenti Antichi dell'Accademia dei Lincei |
| MDAI (R) | Mittailungen des Deutschen Archaologischen Instituts (Roemische Abteilung) |
| NSC | Notizie Scavi di antichità |
| PdP | La Parola del Passato |
| PECS | The Princeton Encyclopedia of Classical Sites, Princeton 1976 |
| QUADERNI | Quaderni dell'Istituto di Archeologia della Facoltà di Lettere dell'Università di Messina |
| R. I. A. S. A. | Rivista dell'Istituto Nazionale di Archeologia e Storia dell'Arte |
| R.A. | Revue Archeologique |
| RAL | Rendiconti dell'Accademia dei Lincei. Classe Scienze morali, storiche e filologiche |
| RÖM. MITT. | Römische Mitteilungen |
| RSA | Rivista di Storia antica e Scienze Affini |
| SIC. ARCH. | Sicilia Archeologica |
| WISS. ZEITSCH. UNIV. HALLE | Wissenschaftliche Zeitschrift Martin Luter- Universitat Hall Wittemberg |

# Bibliografia

D. ADAMESTEANU

—, 1953 (a), *Vasi gelesi arcaici di produzione locale*, in «Arch. Class.» V, 1953, pp. 244 sgg.

—, 1953 (b), *Coppi con testate dipinte a Gela*, in «Arch. Class.» V, 1953, pp. 1-9.

—, 1953 (c), FA, VI, 1951 [1953], nn. 1872, 1873, 4618.

—, 1954 (a), *Uno scarico di fornace ellenistica a Gela*, in «Arch. Class.» VI, 1954, pp. 129-132.

—, 1954 (b), *Il contributo dei Rodio-Cretesi alla ellenizzazione della Sicilia*, «Ann. Acc. Med.» I, 1954, pp. 11-18.

—, 1954 (c), *Grondaie a testa leonina nel territorio di Butera*, in «Boll. d'Arte» 1954, pp. 259-267.

—, 1954 (d), *Polystéphanos Theà*, in RAL, IX, 1954, pp. 467-473.

—, 1954, *Dalle foci del Danubio agli scavi di Gela, Sicilia*, VI, 1954, pp. 12-15.

—, 1955 (a), *Anaktora o sacelli?*, «Arch. Class.» VI, 1955, pp. 179-186.

—, 1955 (b), *Gibil Gabib*, FA, X, 1955, p. 2457.

—, 1955 (c), *Bubbonia, Omphake?*, FA, 10, 1955, p. 2493.

—, 1955 (d), *Due problemi topografici del retroterra gelese: Phalarion-Stazioni itine-rarie e bolli laterizi*, in RAL, X, 1955, p. 199.

—, 1955 (e), *I primi documenti epigrafici paleocristiani nel retroterra di Gela*, in RAL, X, 1955, pp. 550 sgg.

—, 1956 (a), *Vaso figurato di età paleocristiana da Sofiana*, in «Boll. d'Arte» 1956, pp. 158 sgg.

—, 1956 (b), *Monte Saraceno e il problema della penetrazione rodio-cretese nella Si-cilia meridionale*, «Arch. Class.» VIII, 1956, pp. 121-146.

—, 1957 (a), *Le fortificazioni ad aggere nella Sicilia centro-meridionale*, in RAL, XI, 1957, pp. 1 sgg.

—, 1957 (b), *Osservazioni sulla battaglia di Gela del 405 a.C.*, in «Kokalos» II, (1957), pp. 142-156.

—, 1957 (c), *Nouvelles fouilles et recherches archéologiques à Géla et dans l'arrière pays*, in RA 49, 1957, pp. 20 sgg.

—, 1957 (d), *Butera. A Sicilian Town trough the ages*, in «Archeology» 10, 1957, pp. 166-173.

—, 1957 (e), *Fotografia aerea ed i problemi archeologici della Sicilia*, in «Boll. Soc. Ital. Fotogrammetria e topografia», 1957, pp. 75-95.

—, 1958 (a), *Scavi e scoperte dal 1951 al 1957 nella provincia di Caltanissetta. Parte I: Butera, Piano della Fiera Consi e Fontana Calda*, in M.A.L., XLIV, 1958, pp. 205-672.

—, 1958 (b), *Scavi e scoperte dal 1951 al 1957 nella provincia di Caltanissetta*, in NSc XII, 1958, pp. 335-387.

—, 1958 (c), *I Centri indigeni al momento della colonizzazione greca nella Sicilia centro meridionale*, in «Bericht über den V Internationalen Kongress für Von und Fruhgeschichte», Hamburg 1958.

—, 1958 (d), *L'opera di Timoleonte nella Sicilia centro-meridionale vista attraverso gli scavi e le ricerche archeologiche*, «Kokalos» IV, 1958, pp. 31-68.

—, 1958 (e), *Vasi dipinti del IV sec. a.C. di fabbrica locale a Manfria*, in «Miscellanea Libertini», pp. 25 sgg.

—, 1958 (f), *Nuove antefisse dipinte di Gela*, in «Arch. Class.» X, 1958, pp. 9-13.

—, 1959, *Le iscrizioni false di Licata e Gela*, in «Atti del III Congresso Internazionale di Epigrafia greca e latina», Roma 1959, pp. 425-439.

—, 1960, *Scavi e ricerche nei dintorni di Gela*, in NSc XVI, 1960, pp. 67-246.

—, 1961, *Rapporti tra Greci e indigeni alla luce delle nuove scoperte in Sicilia*, in «Atti del VII Congresso Internazionale di Archeologia Classica», II, Roma 1961, pp. 45-52.

—, 1962 (a), *L'ellenizzazione della Sicilia e il momento di Ducezio*, «Kokalos» VIII, 1962, pp. 167-198.

—, 1962 (b), *Toponimi a carattere archeologico nella Sicilia centro-meridionale*, in «Hommages à A. Grenier», I, Bruxelles, 1962, pp. 79-88.

—, 1962 (c), *Note su alcune vie siceliote di penetrazione*, «Kokalos» VIII, 1962, pp. 199-209.

—, 1963, *Note di topografia siceliota*, parte I, «Kokalos» X, 1963, pp. 19-48.

D. ADAMESTEANU - P. ORLANDINI

—, 1958, *Guida di Gela*, Milano 1958.

—, 1962, *L'Acropoli di Gela*, in NSc, 1962, XVI, pp. 340-408.

V. AMICO

—, 1757, *Dizionario topografico della Sicilia*, trad. e annotato da G. di Marzo, Palermo 1877, s.v. *Gela* e s.v. *Terranova*.

CL. M. AREZZO

—, 1537, *De situ insulae Siciliae libellus - Panormo-Messanae 1537*, pp. 30 e 43, Palermo 1537.

P.E. ARIAS

—, 1936, NSc, 1936, p. 368 sgg.

—, 1974, *La civiltà italo-siceliota*, in «Popoli e civiltà dell'Italia antica» II, Roma 1974, pp. 93-108.

D. ASHERI

—, 1966, *Distribuzione di terre nell'antica Grecia*, Torino 1966.

—, 1980, *La colonizzazione greca*, in *La Sicilia antica*, 1980, I, 1, pp. 89-139.

O. BELVEDERE
—, 1986, *Il ruolo dell'Imera settentrionale e dell'Imera meridionale nel quadro della colonizzazione greca*, in «Atti II Giornata di studi sull'archeologia licatese e della zona della bassa valle dell'Himera», Palermo 1986, pp. 91-96.
—, 1987, *Storia e archeologia della media e bassa valle dell'Himera*, «Atti III Giornata sull'archeologia licatese. I Convegno sull'archeologia nissena» (Licata-Caltanissetta 30-31 maggio 1987).

J. BERARD
—, 1963, *La Magna Grecia. Storia delle colonie greche dell'Italia meridionale*, Torino 1963, pp. 225-235.

L. BERNABÒ BREA
—, 1952, *L'Athenaion di Gela e le sue terracotte architettoniche*, in A.S.A./Atene, XXVII-XXIX, 1952.
—, 1953-54, *La Sicilia preistorica y sus relaciones con Oriente y con la Penisula Iberica*, in «Ampurias» XV, XVI, 1953-54, pp. 187 sgg.
—, 1958, *La Sicilia prima dei Greci*, Milano 1958.
—, 1964-65, *Leggenda e archeologia nella protostoria siciliana*, in «Kokalos» X, 11, 1964-65, pp. 1-33.

H. BERVE
—, 1953, *Die Herrschaft des Agathokles*, in «Sitzungsber. der Bayerisch. Akad. d. Wissensch», Munchen 1953.
—, 1967, *Die Tyrannis bei den Griechen*, München 1967.

S. BIANCHETTI
—, 1987, *Falaride e Pseudofalaride, storie e leggende*, Roma 1987.

BIETTI SESTRIERI
—, 1979, *I processi storici nella Sicilia orientale fra la tarda età del bronzo e gli inizi dell'età del ferro sulla base dei dati archeologici*, «Atti XXI Riunione Scientifica Ist. It. Preistoria e Protostoria», Firenze 1979, pp. 599-629.
—, 1980, *La Sicilia e le isole Eolie e i loro rapporti con le regioni tirreniche dell'Italia continentale dal neolitico alla colonizzazione greca*, in «Kokalos» XXVI-XXVII, 1980-81, pp. 8-66.

R.M. BONACASA-CARRA
—, 1974, *Le fortificazioni ad aggere della Sicilia*, in «Kokalos» XX, 1974, pp. 102-122.
—, 1987, *Agrigento paleocristiana. Zona archeologica ed Antiquarium*, Palermo 1987.
—, 1992, *Materiali tardoantichi dalle necropoli siciliane. Una revisione*, in «Quattro note», pp. 27-61.

L. BOSIO
—, 1991, *La viabilità in Sicilia negli Itineraria romani*, in *La viabilità antica in Sicilia*, 1991, pp. 25-34.

L. BRACCESI
—, 1978, *Le tirannidi e gli sviluppi politici ed economico-sociali: la tirannide in Oc-*

*cidente*, in *Storia e civiltà dei Greci*, a c. di R. Bianchi Bandinelli, 1, 2, Milano 1978, pp. 377-382.

G. Bruno - Sunseri

—, 1980, *Aristocrazia e democrazia nella politica di Gelone*, in «Miscellanea di studi in onore di Eugenio Manni», 1, Roma 1980, pp. 295-308.

A. Calderone

—, 1985, *A proposito dell'abitato di Monte Saraceno*, in «Atti della III Giornata sull'archeologia licatese. I Convegno sull'archeologia nissena», Licata-Caltanissetta 1987, pp. 81-87.

S. Calderone

—, 1984, *Contesto storico, committenza e cronologia*, in AA.Vv., *La Villa romana del Casale di Piazza Armerina*, in «Cron. Arch.», 23, pp. 13-57.

V. Caminneci

—, 1992-93, *Insediamenti romani nella Piana di Gela* (tesi discussa alla Scuola di Perfezionamento in Archeologia Classica, Catania 1992-93).

B.M. Candiotto

—, 1759, *De' Saggi storici di Sicilia ed in particolare dell'antichissima et fedelissima città d'Eraclea spartana*, Caltagirone 1755.

G. Cannarozzi

— 1871, *Dissertazione attestante la situazione delle antiche due città Gela e Finziade*, Licata 1871.

G. Castellana

— 1983, *Il tempietto votivo fittile di Sabucina e la sua decorazione figurativa*, in «Rivista di Archeologia», 7, 1983, pp. 1-12 (estratto).

M.A. Cavallaro

—, 1976, *Un "tendency" industriale di età ellenistica e la tradizione storiografica su Agatocle*, in «Historia», 26, 1976, pp. 33-61.

S. Costa

—, 1857, *Una colonna dorico greca avanzo di un Tempio in Terranova e dimostrazione del sito di Gela*, Palermo 1857.

S. Consolo Langher

—, 1976, *Agatocle. Il colpo di stato. "Quellenfrange" e ricostruzione storica*, in «Athenaeum» 54, 1976, pp. 398-429.

—, 1975-76, *La politica di Agatocle e i caratteri della tradizione del conflitto con Messana alla battaglia di Himera*, in ASM 1975-76, pp. 29 sgg.

—, 1976, *La Sicilia dalla scomparsa di Timoleonte alla morte di Agatocle. La introduzione alla "Basileia"*, in AA.Vv., *La Sicilia antica*, 1980 II, 1, pp. 289-343.

—, 1979, *Lo strategato di Agatocle e l'imperialismo siracusano nella Sicilia greca nella tradizione diodorea e trogiana (316-310 a.C.)*, in «Kokalos» XXV, 1979, pp. 117-187.

F. Cordano
— 1982, *Note per la fondazione di Gela*, in «Miscellanea greca e romana», VII, Roma, 1982, pp. 45-56.
—, 1986, *Antiche fondazioni greche*, Palermo 1986.

F. Cluverio
—, 1619, *Sicilia antiqua*, Leyda 1619, pp. 197-202.

M. Cristofani Martelli
—, 1972, *Il Museo Archeologico Nazionale di Gela. Collezione Navarra*, in CVA, Italia LI, Gela I, Roma 1972.
—, 1973, *Il Museo Archeologico Nazionale di Gela. Collezione Navarra*, in CVA, Italia II, Gela II, Roma 1973.

G. Cultrera
—, 1908, *Intorno all'accampamento cartaginese nell'assedio di Gela del 405. a.C.*, in RAL, XVII, 1908, pp. 257-268.

S. Damaggio Navarra
—, 1895, *Rifugio marittimo in Terranova di Sicilia*, Terranova 1895.
—, 1896, *Memorie gelesi (Cenni storici)*, Terranova 1896.

J. De La Geniere
—, 1978, *La colonizzazione greque en Italie meridionale et en Sicile et l'acculturation des non-Grecs*, in RA 1978, 2, pp. 257-276.

E. De Miro
—, 1956, *Agrigento arcaica e la politica di Falaride*, in PdP 49, 1956, pp. 263-273.
—, 1962, *La fondazione di Agrigento e l'ellenizzazione del territorio fra il Salso e il Platani*, in «Kokalos» VIII, 1962, pp. 122-152.
—, 1974, *Influenze cretesi nei santuari ctoni dell'area geloa-agrigentina*, in «Antichità cretesi. Studi in onore di Doro Levi», 2, 1973-74, pp. 202 sgg.
—, 1975, *Nuovi dati del problema relativo all'ellenizzazione dei centri indigeni nella Sicilia centro-occidentale*, in «Boll. d'Arte» 60, 1975, pp. 123-128.
—, 1976, *Monte Saraceno di Ravanusa*, in «Scritti in onore di S. Pugliatti», V, Napoli 1976, pp. 221-231.
—, 1980, *La casa greca in Sicilia*, in Φίλιας χάριν, «Miscellanea di studi classici in onore di E. Manni», II, Roma 1980, pp. 722-723.
—, 1980, *Ricerche archeologiche nella Sicilia centromeridionale*, in «Kokalos» XXVI-XXVII, 1980-81, pp. 551 sgg.
—, 1981, *Forme di contatto e processi di trasformazione nelle società antiche: esempio di Sabucina*, in «Forme di contatto e processi di trasformazione nelle società antiche» (Atti convegno di Cortona, 24-30 maggio 1981), Pisa-Roma 1983, pp. 335-343.
—, 1985, *Ricerche a Monte Saraceno presso Ravanusa*, in «Quaderni della ricerca scientifica» 2, 1985, pp. 149-166.
—, 1986, *Il santuario di località Casalicchio*, in «Atti I Giornata di studi sull'archeologia licatese e della zona della bassa valle dell'Himera» (Licata 19 gennaio 1985), Palermo 1986, pp. 97-124.

—, 1986, *Coroplastica geloa del VI e V sec. a.C.*, in AA.Vv., *Hestiasis. Studi offerti a Salvatore Calderone*, Messina 1986, pp. 387-396.

—, 1992, *Polizzello, centro indigeno della Sikania*, in «Quaderni», Messina 3, 1988, pp. 3 sgg. (estratto).

E. DE MIRO - G. FIORENTINI

—, 1972, *Attività della Soprintendenza alla antichità della Sicilia centro-meridionale negli anni 68-72*, in «Kokalos» XVIII-XIX, 1972-73, pp. 228-250.

—, 1976-77, *Relazione sull'attività della Soprintendenza alla antichità di Agrigento (1972-76)*, in «Kokalos» XXII-XIII, 1976-77, II, 1, pp. 427-447.

—, 1978, *Gela nell'VIII e VII sec. a.C.*, in «Cron. Arch.» 17, 1978, pp. 90-99.

G. DELLE COLONNE

—, 1868, *Storia della guerra di Troia* (edizione a cura di M. Delo Russo), Napoli 1868, pp. 254-255.

PH. D'ORVILLE

—, 1764, *Sicula*, Amstelaedami, 1764, II, pp. 111-113.

G. DE SANCTIS

—, 1958, *Emmenidi e Dinomenidi*, in *Ricerche sulla storiografia siceliota*, Palermo 1958, pp. 103-119.

J.A. DE WAELE

—, 1971, *Acragas Graeca. Die historische topographie des griechischen Akragas auf Sizilien: I*, Historischer Teil, Roma 1971.

V. DIMENZA VELLA

—, 1846, *Osservazioni sul sito dell'antica Gela*, Palermo 1846.

H.J. DIESNER

—, 1958, *Agathoklesproblema. Der Putsch vom Jahre 316*, in «Wiss. Zeitsch. Univ. Halle», 1958, pp. 931 sgg.

R. DISCA

—, 1949, *Plaga Calvisianis*, Caltagirone 1949.

C. DOLCE

—, 1960, *Diodoro e la storia di Agatocle*, in «Kokalos» VI, 1960, pp. 124-166.

L. DUFOUR

—, 1990, *Gela e Augusta: due città, due castelli*, in «L'età di Federico II nella Sicilia Centro-Meridionale» (Atti delle Giornate di studio a cura di S. Scuto), Gela 1990, pp. 85-98.

T.J. DUNBABIN

—, 1948, *The Western Greks*, Oxford 1948.

A.J. EVANS

—, 1893, *The vases from Gela*, in P. GARDNER, *Museum Oxoniense. Greek Vases in the Ashmoleum Museum in Oxford*, Oxford 1893, VII-X.

T. FAZELLO
—, 1558, *De rebus siculis decades duo*, Palermo 1558, ried. 1990, pp. 490-493; pp. 590-594.

M.I. FINLEY
—, 1972, *Storia della Sicilia antica*, trad. it., Bari 1972.

G. FIORENTINI
—, 1977, *Sacelli sull'acropoli di Gela e a Monte Adranone nella Valle del Belice*, in «Cron. Arch.» XVI, 1977, pp. 105-114.
—, 1980-81, *Ricerche archeologiche nella Sicilia centro-meridionale*, in «Kokalos» XXVI-XXVII, 1980-81, II, 1, pp. 583-593.
—, 1984-85, *Recenti scavi a Marianopoli*, in «Kokalos» XXX-XXXI, 1984-85, II, 1, pp. 467-474.
—, 1985-86, *Le necropoli indigene di età greca di Valle Oscura (Marianopoli)*, in «Quaderni», 1, 1985-86, pp. 31-54.
—, 1987-88, *Gela. L'area del Bosco Littorio*, in BCA Sicilia, 1987-88, pp. 23-26.
—, 1988, *Gela-Manfria. Campagna di scavi 1988*, in BCA Sicilia 1987-88, pp. 26 sgg.
—, 1985, *Gela. La città antica e il suo territorio. Il Museo*, Palermo 1985.
—, 1986, *Testimonianze e documenti di età paleocristiana e bizantina nel territorio di Gela*, in «Kokalos» XXXII, 1986, pp. 297-304.
—, 1990, *La nave greca di Gela e osservazioni sul carico residuo*, in «Quaderni», Messina 5, 1990, pp. 25-40.

G. FIORENTINI - E. DE MIRO
—, 1983, *Gela protoarcaica*, in «Atti del Convegno Internazionale Grecia, Italia e Sicilia nell'VIII e VII sec. a.C.», Atene 15-20 ottobre 1979, A.S.A.A. 45, 1983, pp. 54-106.

S. FIORILLA
—, 1990, *Considerazioni sulle ceramiche medievali della Sicilia centro meridionale*, in «L'età di Federico II nella Sicilia Centro-Meridionale» (Atti delle Giornate di Studio a cura di S. Scuto), Gela 1990, pp. 115-169 (con bibliografia precedente).

C.A. FOLCKE
—, 1973, *Dionysius and Philistus, the tyrant and the Historian*, Diss. Binghamton 1973.

M.J. FONTANA
—, 1958, *Fortuna di Timoleonte. Rassegna delle fonti letterarie*, in «Kokalos» IV, 1958, pp. 3-23.

E.A. FREEMAN
—, 1891-94, *The history of Sicily from the earliest times to the death of Agathokles*, Oxford 1891-94.

A. Freschi

—, 1989, *Nuove tecniche sul relitto greco arcaico di Gela*, in «Atti della IV Rassegna di Archeologia subacquea», Giardini-Naxos 1989, pp. 201-210.

E. Frolov

—, 1973, *Die ersten Unternehmungen und die Machtergreifung Dionysios' des Alteren*, «Klio» 55, 1973, pp. 87-108.

—, 1975, *Organisation und Charakter der Herrschaft Dionysios's des Alteren*, «Klio» 57, 1975, pp. 103-122.

E. Gabrici

—, 1925, *Polizzello. Abitato preistorico presso Mussomeli*, in «Atti Real. Accad. Sc. Lett. Arti Palermo» 14, 1925, pp. 3-11 (estratto).

F. Giudice

—, 1970, *Due Pelikai del Pittore dei Porci nella collezione Navarro di Gela*, in «Cron. Arch.» IX, 1970, pp. 11-17.

—, 1974, CVA, Italia LIV, Gela III, Museo Archeologico di Gela, Collezione Navarro, Roma 1974.

—, 1979, CVA, Italia LVI, Gela IV, Museo Archeologico di Gela, Collezione Navarro, Roma 1979.

—, 1985, *Gela e il commercio attico verso l'Etruria nel primo quarto del V sec. a.C.*, in «Studi Etruschi», II, 1985, pp. 115-139.

E. Greco - M. Torelli

—, 1983, *Storia dell'urbanistica. Il Mondo greco*, Bari 1993, pp.184-186.

L. Giuliano

—, 1906-1907, *Ippocrate di Gela*, in RSA, XI, 1906-1907, pp. 253-259.

—, 1906-1907, *Gela*, in RSA, XI, 1906-1907, pp. 131-135.

P. Griffo

—, 1947, *Dell'antico teatro di Gela*, in «Akragas», Bollettino della Soprintendenza alle antichità di Agrigento, 1947, pp. 5-9.

—, 1948, *Le recenti scoperte archeologiche di Gela*, in ASSO 1948, pp. 181 sgg.

—, 1949, *Gela preistorica ed ellenica* (Agrigento 1949 - Gela 1951).

—, 1951, *Novità a Capo Soprano*, in «Arch. Stor. Sic. Or.» 1951, pp. 281-286.

—, 1952, *Preistorici a Dessueri*, in *La diga del Dessueri nella bonifica della piana del Gela*, Gela 1952.

—, 1953, *Gela: gli scavi delle fortificazioni greche in località Capo Soprano*, Agrigento 1953.

—, 1953, *Bilancio di cinque anni di scavi nelle provincie di Agrigento e Caltanissetta*, in «Atti Acc. Agrigento», 1953.

—, 1954, *Scavi, scoperte, restauri nei territori delle antiche Gela ed Agrigento* (1951-1954), in «La Giara», 1954-1955.

—, 1955, *Aspetti archeologici della provincia di Caltanissetta*, Agrigento 1955.

—, 1958, *Il Museo Nazionale di Gela*, Agrigento 1958.

—, 1958, *Sulle orme della civiltà gelese. Scavi e scoperte nell'antica Gela e nei dintorni della sua espansione*, Agrigento 1958.

—, 1964, *Recenti scavi archeologici in Sicilia. Problemi e risultati*, in «Kokalos», X-XI, 1964-65, pp. 135-168.

—, 1959, *Gela: Il Museo Nazionale*, Agrigento 1959.

P. GRIFFO, L. VAN MATT

—, 1963, *Gela. Destino di una città greca di Sicilia*, Genova 1963.

P. GRIFFO - D. ADAMESTEANU - P. ORLANDINI, in A.I.I.N. 1954, 1955, 1956, 1957, 1958-1959, 1960-61.

N. GULLI

—, 1990, *Vassallaggi (S. Cataldo). La necropoli indigena*, in AA.VV., *Da Nissa a Maktorion. Nuovi contributi per l'archeologia della provincia di Caltanissetta*, Caltanissetta 1990, pp. 57 sgg.

—, 1991, *La necropoli indigena di età greca di Vassallaggi (S. Catoldo)* in «Quaderni», 6, 1991, pp. 23-41.

G. GUZZONE

—, 1985-86, *Sulla necropoli protostorica di Butera: i recinti funerari 138 e 139*, in ASSO, LXXXI-LXXXII, 8, 1985-86, pp. 7-41.

R. HOLLOWAY

—, 1995, *Archeologia della Sicilia antica*, Torino 1995.

A. HOLM

—, 1896-1901, *Storia della Sicilia nell'antichità*, Torino 1896-1901 (rist. an. Bologna 1980).

K. JENKINS

—, 1970, *The coinage of Gela*, London 1970.

S. LAGONA

—, 1978, *Il tipo del toro androposopo a Gela*, in «Cron. Arch.», 7, 1968, pp. 137-142.

—, 1980, *La Sicilia tardo antica e bizantina*, in «Fel. Rav.» CXXI, 1980, pp. 111-130.

V. LA ROSA

—, 1991, *Le popolazioni della Sicilia. Sicani, Siculi, Elimi*, in «Italia omnia terrarum Parens», Roma 1991, p. 1-110.

F. LAURICELLA

—, 1992, *Vassallaggi. Storia e archeologia di una città greca della Sicilia interna*, Caltanissetta 1992.

E. LEPORE

—, 1969, *Osservazione sul rapporto tra fatti economici e fatti di colonizzazione in Occidente*, «D. Arch.» 3, 1969, pp. 175-188.

—, 1973, *Problemi dell'organizzazione della chora coloniale*, in «Problemes de la terre en Grece ancienne», a c. di M.J. Finley, Paris-La Haye 1973, pp. 15-47.

—, 1981, *Città stato e movimenti coloniali: struttura economica e dinamica sociale*, in *Storia e civiltà dei Greci*, a cura di R. Bianchi Bandinelli, 1, Milano 1981, pp. 183-253.

P. LÉVÈQUE
—, 1968-69, *De Timoléon à Pyrrhos*, 14-15, 1968-69, pp. 135-141.
—, 1973, *Colonisation grecque et syncretisme*, in *Le syncretisme dans les religions grecque et romaine*, Paris 1973, pp. 43-66.

G. LINARES
—, 1846, *Alcune parole sul vero sito di Gela in Licata*, Palermo 1843.

G. MADDOLI
—, 1980 (a), *Il VI e il V sec. a.C. Nature e forme del processo di ellenizzazione dell'entroterra*, in AA.Vv., *La Sicilia antica*, Napoli 1980 VI, 1, pp. 15-25.
—, 1980 (b), *Il VI e il V sec., dalla fondazione di Camarina alla tirannide di Falaride*, in AA.Vv., *La Sicilia antica*, Napoli 1980 II, 1, pp. 3-15.
—, 1980, *Il VI e il V secolo, Ducezio e il movimento siculo*, in AA.Vv., *La Sicilia antica*, Napoli 1980 II, 1, pp. 61-67.

E. MANNI
—, 1960, *Timeo e Duride e la storia di Agatocle*, in «Kokalos» VI, 1960, pp. 167-173.
—, 1966, *Agatocle e la politica estera siracusana*, in «Kokalos» XII, 1966, pp. 145-162.
—, 1971, *Gela-Licata o Gela-Terranova*, in «Kokalos» XVII, 1971, pp. 124-130.
—, 1975, *Da Megara e Selinunte: le divinità*, in «Kokalos» XXI, 1975, pp. 174-195.
—, 1976, *Indigeni e colonizzatori nella Sicilia preromana*, in «Assimilation et Résistance à la culture gréco-romaine dans le mond ancien», Bucaresti-Paris 1976, pp. 181-211.
—, 1980, *Culti greci e culti indigeni in Sicilia. Problemi di metodo e spunti di ricerca*, in «Atti del Convegno "Polis e tempio in Sicilia e Magna Grecia"», Catania 24-27 maggio 1977, pp. 5-17.
—, 1981, *Geografia fisica e politica della Sicilia antica*, Roma 1981.
—, 1984-85, *La Sicilia e il mondo greco arcaico fino alla fine del VI sec. a.C. L'apporto della ierologia*, in «Kokalos» XXX-XXXI, 1984-85, 1, pp. 165-191.

P. MARCONI
—, 1928, *Ravanusa (AG), borgo siculo-greco*, NSc sez. 6, VI, 1928, pp. 499-510.
—, 1930, *Ravanusa (AG), Scoperta di tombe greche*, NSc sez. 6, VI, 1930, pp. 411-413.

A. MARSIANO
—, 1982, *Niscemi. Geografia fisica*, Caltanissetta 1982.

R. MARTIN
—, 1973, *Aspects financiers et sociaux des programmes de constructions dans les villes grecque de Grande Grèce et de Sicile*, «Atti Taranto», 1973, pp. 185-205.
—, 1973, *Rapports entre les structures urbaines et modes de divisions du territoire*, in «Atti Taranto», 1973, pp. 97-112.

E. MEOLA
—, 1971, *Terracotte orientalizzanti di Gela* («Dedalica», Siciliae III), M.A.L., XLVIII, 1971.

C. Miccichè
—, 1980, *Diodoro XI, 91: Ducezio e Motyon*, in RIL 114, 1980, pp. 52-69.
—, 1986, *Sabucina, Gibil Gabib, Capodarso: nuove prospettive per la conoscenza della Sicilia antica*, in «Atti del Convegno Regionale "Il parco dell'Imera come progetto: analisi di un territorio da valorizzare"», Caltanissetta 1986, pp. 18-21.
—, 1987, *Gibil Gabib. Recenti scavi*, in «Storia e archeologia della media e bassa valle dell'Himera», in «Atti della III Giornata di studi sull'archeologia licatese. I Convegno sull'archeologia nissena» (Licata-Caltanissetta 1987), 1990, pp. 183-191.
—, 1989, *Mesogheia. Archeologia e storia della Sicilia centro-meridionale dal VII al IV sec. a.C.*, Caltanissetta 1989.
—, 1990, *Gibil Gabib*, in AA.Vv., *Da Nissa a Maktorion. Nuovi contributi per l'archeologia della provincia di Caltanissetta*, Caltanissetta 1990, pp. 63 sgg.

M. Miller
—, 1970, *The Sicilian Colony Dates, Studies in Chronography*, I, Albany 1970.

P. Mingazzini
—, 1938, *Di un'edicola sepolcrale del IV sec. rinvenuta a Monte Saraceno presso Ravanusa (AG)*, in M.A.L. 36, 1938, coll. 621-692.

R. Mollo
—, 1987, *Sabucina: recenti scavi nell'area fuori le mura*, in «Atti della III Giornata sull'archeologia licatese. I Convegno sull'archeologia nissena» (Licata-Caltanissetta 1987), 1990, pp. 137-183.
—, 1990, *Sabucina*, in AA.Vv., *Da Nissa a Maktorion. Nuovi contributi per l'archeologia della provincia di Caltanissetta*, Caltanissetta, pp. 29-39 (con bibliografia relativa).

M.M. Morciano
—, 1994, *Gela. Le fortificazioni greche di Capo Soprano* (Tesi discussa alla Scuola di Spec. in Archeologia dell'Univ. degli Studi di Firenze), 1993-94.

C. Mosse
—, 1969, *La Tyrannie dans la Grèce antique*, Paris 1969.

D. Musti
—, 1962, *Ancora sull'iscrizione di Timoleonte*, PdP 17, 1962, pp. 450-469.

G. Navarra
—, 1964, *Città sicane, sicule e greche nella zona di Gela*, Palermo 1964.
—, 1975, *E Gela e Katagela*, in MDAI (R), LXXXII, 1975, pp. 21-82.

B. Neutsch
—, 1954, *Archäologische Grabungen und Funde in Bereich der Soprintendenzen von Sizilien von 1949 bis 1954*, in AA, LXIX, 1954, pp. 642-682.

I. Nigrelli
—, 1990, *La fondazione federiciana di Terranova tra continuità e rottura*, in «L'età di

Federico II nella Sicilia Centro-Meridionale (Atti delle Giornate di studio, a cura di S. Scuto)», Gela 1990, pp. 67-84 (con bibliografia precedente).

S.I. OOST

—, 1976, *The Tyrant Kings of Syracuse*, in «Classical Philology», 71, 1976, pp. 224-236.

P. ORLANDINI

—, 1953, *Vasi fliacici trovati nel territorio di Gela*, in «Boll. d'Arte» 1953, pp. 155-158.

—, 1954 (a), *Due nuove lekythoi del pittore di Bowdoin, ecc.*, in «Boll. d'Arte» 1954, pp. 76-79.

—, 1954 (b), *Nuovi vasi del pittore di Pan a Gela*, in «Arch. Class.» V, 1954, p. 34 sgg.

—, 1954 (c), *Kore fittile dall'Acropoli di Gela*, in «Arch. Class.» VI, 1955, pp. 1-8.

—, 1954 (d), *Le nuove antefisse sileniche di Gela e il loro contributo alla conoscenza della coroplastica sceliota*, in «Arch. Class.» VI, 1954, pp. 251-266.

—, 1954 (e), *Due graffiti vascolari relativi al culto di Hera a Gela*, in «Rend. Lincei» XI, 1954, pp. 454-457.

—, 1954 (f), *Nuovi graffiti dagli scavi di Gela*, in MDAI (R), 1956, pp. 140-154.

—, 1956, *Piccoli bronzi in forma di animali rinvenuti a Gela e Butera*, in «Arch. Class.» VIII, 1956, p. 1 sgg.

—, 1956 (a), *Altre antefisse sileniche in Gela*, in «Arch. Class.» VIII, 1956, p. 47 sgg.

—, 1956 (b), *Storia e topografia di Gela dal 405 al 282 a.C. alla luce delle nuove scoperte archeologiche*, in «Kokalos» II, 1956, pp. 158-176.

—, 1956 (c), *Frammenti coroplastici ed architettonici da Bitalemi*, in NSc 1956, pp. 388-398.

—, 1957 (a), *Tipologia e cronologia del materiale archeologico di Gela dalla nuova fondazione di Timoleonte all'età di Ierone II*, in «Arch. Class.» IX, 1957, pp. 44-75.

—, 1957 (b), *Noterelle epigrafiche di Gela*, in «Kokalos» III, 1957, pp. 94-97.

—, 1957 (c), *Scavi, ricerche e scoperte nelle provincie di Agrigento e Caltanissetta*, in «Nuova Antologia», agosto 1957, pp. 511 sgg.

—, 1958 (a), *La rinascita della Sicilia nell'età di Timoleonte alla luce delle nuove scoperte archeologiche*, in «Kokalos» IV, 1958, 24-30.26-9.

—, 1958 (b), *Nuovi acroteri a forma di cavallo e cavaliere dall'acropoli di Gela*, in «Miscellanea Libertini» 1958, pp. 117-128.

—, 1958 (c), *Il gusto per l'imitazione dell'antico nella Gela del IV-III sec. a.C.*, in «Arch. Class.» X, 1958, pp. 240-242.

—, 1959, *Il nuovo Museo Nazionale di Gela*, in «Annali Pubblica Istruzione» V, pp. 151 sgg.

—, 1959, *Arule arcaiche a rilievo nel Museo Nazionale di Gela*, in MDAI (R), 1959, pp. 97-103.

—, 1960, *Scavo di un villaggio della prima età del bronzo a Manfria, presso Gela: rapporto preliminare*, in «Kokalos» VI, 1960, pp. 29-30.

—, 1960, *Gela rediviva*, in «Z Otclani Wieków» XXVI, 1960, pp. 1-11.

—, 1960, *Materiale archeologico gelese del IV-III sec. a.C. nel Museo Naz. di Siracusa*, in «Arch. Class.» XII, 1960, pp. 57-70.

—, 1961 (a), *La terza campagna di scavi sull'Acropoli di Gela*, in «Kokalos» 1961, p. 137-144.

—, 1961 (b), *Omphake e Maktorion*, in «Kokalos» VII, 1961, pp. 145 sgg.

—, 1961 (c), FA 16, 1961, 2247.

—, 1962 (a), *Il villaggio preistorico di Manfria, presso Gela*, Palermo 1962.

—, 1962 (b), *La stipe votiva arcaica del predio Sola*, in M.A.L., XLVI, 1962, coll. 1-78.

—, 1962 (c), *L'espansione di Gela nella Sicilia centro-meridionale*, in «Kokalos» VI, 1962, pp. 69-118.

—, 1963, *Sabucina. Scoperte varie. Prima campagna di scavo (1962)*. Rapporto preliminare, in «Arch. Class.», XV, 1963, pp. 86-96.

—, 1963, *La più antica ceramica di Gela e il problema dei Lindioi*, in «Cron. Arch.» 2, 1963, pp. 50-56.

—, 1964-65, *Arte indigena e colonizzazione greca in Sicilia*, in «Kokalos» X-XI, 1964-65, pp. 539-546.

—, 1965 (a), *L'età del bronzo nella zona di Gela*, in «Atti del VI Congresso Int. di Scienze Preistoriche e Protostoriche», II, 1965, pp. 409-411.

—, 1965 (b), *La raffigurazione della Triskeles su vasi arcaici di fabbrica gelese*, «Cron. Arch.», III, 1964, pp. 13-15.

—, 1965 (c), *Attrezzi da lavoro in ferro nel periodo arcaico e classico nella Sicilia greca*, in «Economia e storia», 1965, pp. 445-447.

—, 1965 (d), *Nuovi graffiti rinvenuti a Gela e nel territorio di Caltanissetta*, in RAL 1965, pp. 457-458.

—, 1965 (e), *Sabucina. La seconda campagna di scavo (1964). Rapporto preliminare*, in «Arch. Class.» XVII, 1965, pp. 133-140.

—, 1966, *Lo scavo del* Tesmophorion *di Bitalemi e il culto delle divinità ctonie a Gela*, in «Kokalos» XII, 1966, pp. 8-35.

—, 1967, *Nuove scoperte nel Tesmophorion di Bitalemi*, in «Kokalos» XIII, 1967, pp. 177-179.

—, 1968, *Gela. Topografia dei santuari e documentazione archeologica dei culti*, in R.I.A.S.A., Nuova Serie, XV, 1968, pp. 20-66.

—, 1968, *Sabucina. La terza campagna di scavo (1966). Rapporto preliminare*, in «Arch. Class.» 20, 1968, pp. 151-156.

—, 1968-69, *Attività della Soprintendenza alle Antichità di Agrigento*, in «Kokalos» XIV-XV, 1968-69, pp. 329-330.

—, 1968-69, *Diffusione del culto di Demetra e Kore in Sicilia*, in «Kokalos» XIV-XV, 1968-69, pp. 334-338.

—, 1971, *Vassallaggi (San Cataldo). Scavi 1961. I, La necropoli Meridionale*, in NSc, XXV, Suppl. 1971.

P. ORLANDINI - D. ADAMESTEANU

—, 1956, *Gela. Ritrovamenti vari*, in NSc, X, 1956, pp. 203-401.

—, 1960, *Gela. Nuovi scavi*, in NSc, XIV, 1960, pp. 67-247.

P. ORSI

—, 1901, *I Siculi nella regione gelese*, in BPI, XXVII, 1901.

—, 1902, *Gela. Nuove esplorazioni nella necropoli*, in NSc, 1902, pp. 408-410.

152          BIBLIOGRAFIA

—, 1905, *Gela. Nuovi scavi nelle necropoli*, in NSc, 1905, pp. 446-447.

—, 1905, *Monte Bubbonia: città e necropoli sicula dei tempi greci*, in NSc II, 1905, pp. 447-449.

—, 1905, *Gela. Nuovi scavi nella necropoli*, in NSc, II, 1905, pp. 446-447.

—, 1906, *Gela. Scavi del 1900-1905*, in M.A.L., 1906.

—, 1907, *Gela. Nuovo Tempio greco-arcaico in contrada Molino a Vento*, in NSc, IV, 1907, pp. 38-40.

—, 1908, *Sepolcri protosiculi di Gela*, in BPI, XXXIV, 1908, pp. 119-136.

—, 1909, *Nuove antichità di Gela* in M.A.L., XIX, 1909, pp. 89-140.

—, 1909, *Tempio e necropoli-arcaiche in Gela*, in M.A.L., 1909.

—, 1907, *Monte Bubbonia*, in NSc IV, 1907, pp. 497-498.

—, 1911, *Due villaggi del primo periodo siculo (Banco Grande presso Camarina e Sette Farine presso Gela)*, in BPI, XXXVI, 1911, pp. 158 sgg.

—, 1911, *Due vasi gelesi di Duris e Peithinos*, in «Symbolae Litterariae in honorem Julii de Petra», Napoli 1911, pp. 73-84.

—, 1913, *Le necropoli sicule di Pantalica e M. Dessueri*, in M.A.L., XXI, 1913.

—, 1919, *Tesoretto monetale di Gela*, in «Atti e Mem. Ist. Ital. di Num.», 1919.

—, 1921, *Nota suppletiva al «Tesoretto di Gela»*, in «Atti e Mem. Ist. It. di Num.», 1921, pp. 5-22.

—, 1931, *Gela: ricerca del teatro*, in «Il Mondo Classico», 1931.

—, 1932, *Gela. Esplorazione di una necropoli in contrada Spina Santa*, in NSc, VIII, 1932, pp. 137-149 sgg.

P. ORSI - D. PANCUCCI

—, 1972, *Esplorazioni a Monte Bubbonia dal 1904 al 1906*, in ASS, n.s. 2, 1972-73, pp. 5-60.

B. PACE

—, 1935-49, *Arte e civiltà della Sicilia antica*, Roma-Napoli-Città di Castello 1935-1949.

E. PAIS

—, 1908, *Per la storia di Gela. A proposito degli scavi di P. Orsi*, «Historia» I, 1908, pp. 562-535.

—, 1938, *Storia dell'Italia antica*, Torino 1938, I, p. 338 sgg.

G. PAGOTO

—, 1933, *Sulla posizione di Gela*, Palermo 1933.

D. PALERMO

— 1981, *Polizzello*, «Cron. Arch.» 2, 1981, pp. 103-150.

D. PANCUCCI

—, 1973 (a), *Siculi e Greci nell'entroterra di Gela, Monte Bubbonia*, in «Magna Grecia» 8, 11-12, 1973, pp. 8-9.

—, 1973 (b), *Monte Bubbonia. Scavi nella necropoli*, in «Sicilia archeologica» 23, 1973, pp. 49-55.

—, 1976-1977, *Monte Bubbonia. Scavi nel quadriennio 1972-75*, in «Kokalos» XXII-XXIII, 1976-1977, II, 1, pp. 407-478.

—, 1977, *Precisazioni sul sacello di Monte Bubbonia*, in «Il tempio greco in Sicilia. Architettura e culti (Atti della I Riun. Scient. Scuola di Perf. Arc. Univ. Catania, Siracusa 24-27 novembre 1976)», in «Cron. Arch.» 16, 1977, pp. 119-24.

—, 1980-81, *Recenti scavi sull'acropoli di Monte Bubbonia*, in «Kokalos» XXVI-XXVII, 1980-81, pp. 649-655.

D. PANCUCCI - M.C. NARO

—, 1992, *Monte Bubbonia. Campagne di scavo 1905, 1906, 1955*, Roma 1992.

R. PANVINI

—, 1988, *Contrada Piano Camera*, in BCA Sicilia, 1987-88, pp. 43-46.

—, 1988, *Scavi e scoperte a Monte Desusino di Butera*, in BCA Sicilia 1987-88, pp. 37-41.

—, 1989, *L'attività della Soprintendenza di Agrigento e Caltanissetta nel campo dell'archeologia subacquea*, in «Atti della IV Rassegna di Archeologia subacquea», Giardini Naxos 1989, pp. 193-200.

—, 1990, *Monte S. Giuliano*, in AA.Vv., *Da Nissa a Maktorion. Nuovi contributi per l'archeologia della provincia di Caltanissetta*, Caltanissetta 1990, pp. 13-15.

—, 1992 (a), *La nave greca di Gela*, in «Archeologia Viva», maggio 1992.

—, 1992 (b), *L'insediamento rurale di Contrada Piano Camera di Gela*, in «Atti del Centro Studi di Topografia siciliana», Caltagirone 1992.

—, 1993, *L'attività della Soprintendenza di Caltanissetta tra il 1992 e il 1993*, in «Kokalos» XXXIX, XL, II, 1993-1994, pp. 782-823.

—, 1994, *Scavi e ricerche a Monte Dessueri. Nuovi dati dalla necropoli e dall'abitato*, in «Atti del Convegno "Origini e Civiltà dei popoli del Mediterraneo"», Mondello 1994 (in corso di stampa).

—, 1995, *Il porto antico di Gela* (in corso di stampa).

R. PANVINI - V. CAMMINECI

—, 1993-94, *Il complesso rurale di Contrada Piano Camera*, in «Kokalos» XXXIX, XL, II, 1993-94, pp. 825-843.

I. PATERNÒ principe di Biscari

—, 1817, *Viaggio per le antichità di Sicilia*, Palermo, pp. 11 sgg.

L. PARETI

—, 1910, *Per la storia e la topografia di Gela* in MDAI (R), XXV, 1910, pp. 1-26.

—, 1956, *Basi e sviluppo della "tradizione" antica sui primi popoli della Sicilia*, «Kokalos» II, 1956, pp. 5-19.

—, 1959, *Sicilia antica*, Palermo 1959.

PECS

—, 707.174-5.590.592.353.780.957-8.

G. PRESTI

—, 1928, *Gela ellenica*, 1928.

C.F. PIZZOLANTI

—, 1753, *Memorie storiche di Gela*, Palermo 1753.

G.A. PRIVITERA
—, 1980, *Politica religiosa dei Dinomenidi e ideologia religiosa dell'optimus rex*, in *Parennitas. Studi in onore di A. Brelich*, Roma 1980, pp. 393-411.

G. PUGLIESE CARRATELLI
—, 1932, *Gelone principe siracusano*, in Asso, XXVIII, 1932, pp. 3-25.
—, 1985, *Storia civile*, in *Sikanie. Storia e civiltà della Sicilia greca*, Milano 1985, pp. 1-78.

G. RIZZA
—, 1985 (a), *Le necropoli di Butera e i rapporti fra Sicilia e Creta in età protoarcaica*, in «Kokalos», XXX-XXXI, 1984-85, I, pp. 65-70.

G. RIZZA - E. DE MIRO
—, 1985 (b), *Le arti figurative dalle origini al V secolo a.C.*, su AA.Vv., *Sikanie. Storia e civiltà della Sicilia greca*, Milano 1985, pp. 125-223.

A. SALINAS
—, 1896, *Terranova di Sicilia. Di un'antichissima epigrafe greca scoperta nel perimetro dell'antica Gela*, in NSc, 1896, pp. 244-255.

F. SARTORI
— 1980-91, *Storia costituzionale della Sicilia antica*, in «Kokalos» XXVI-XXVII, 1980-81, pp. 263-292.
—, 1993, *Agrigento, Gela e Siracusa: tre tirannidi contro il barbaro*, in *Agrigento e la Sicilia greca*, «Atti della settimana di studio, Agrigento 2-8 maggio 1988», 1993, pp. 77-93.

G. SCHUBRING
—, 1873, *Historisch-geografische Studien über Altsicilien*, in «Reinisches Museum», N.F., XXVIII, 1873, pp. 65-140.

M. SEDITA MIGLIORE
—, 1981, *Sabucina, Caltanissetta*, Roma 1981.

E. SJÖQVIST
—, 1973, *Sicily and the Greeks. Studies in the Interrelationship between the Indigenous and the Greek colonists*, Ann Arbor 1973, pp. 40 sgg.

M. SORDI
—, 1980, *Il IV e III sec. da Dionigi I a Timoleonte*, in AA.Vv., *La Sicilia antica*, Napoli 1980, II 1, pp. 209-236.
—, 1981, *Timoleonte*, Palermo 1981.

G. SPAGNOLO
—, 1991, *Recenti scavi nell'area della vecchia stazione di Gela*, in «Quaderni», 1991, 6, pp. 55-70.

K.F. STROHEKER
—, 1958, *Dionysios I. Gestalt und Geschichte des Tyrannen von Syrakus*, Wiesbaden 1958.

R.J.A. Talbert
—, 1974, *Timoleont and the Revival of Greek Sicily*, Cambridge 1974.

G. Tigano
—, 1987, *Vassallaggi: nuove ricerche e nuovi dati*, in «Storia e archeologia della media e bassa Valla dell'Himera», «Atti della III Giornata di studi sull'archeologia licatese. I Convegno sull'archeologia nissena» (Licata-Caltanissetta), 1987, pp. 191-203.
—, 1990, *Vassallaggi. La città*, in AA.Vv., *Da Nissa a Maktorion. Nuovi contributi per l'archeologia della provincia di Caltanissetta*, Caltanissetta 1990, pp. 49-56.

S. Tusa
— 1992, *La Sicilia nella preistoria*, Palermo 1982 (2ª ed. 1993).

Tusa-De Miro
—, 1983, *La Sicilia Occidentale*, Palermo 1983, pp. 206-250.

G. Uggeri
—, 1967, *La battaglia di Gela del 405 a.C. secondo Diodoro e le risultanze topografiche*, in SIFC, n.s., XXXIX, 1967, pp. 252-259.
—, 1968, *Problemi di topografia geloa*, in MDAI (R), LXXV, 1968, pp. 54-63.
—, 1968, *Gela, Finzia e l'Alico nella battaglia del 249 a.C.*, in PdP, XXIII, 1968, pp. 120-131.
—, 1970, *Sull'itinerarium per maritima loca da Agrigento a Siracusa*, in «Atene e Roma», n.s. XV, 1970, pp. 107-117.
—, 1986, *Il sistema viario in Sicilia e le sopravvivenze medievali*, in «Sicilia Rupestre», 1986, pp. 85-112.

J.P. Uhlenbrock
—, 1986, *The Terrakotta Protomai from Gela. A discussion of local style in arcaic Sicily*, 1986.

G. Vallet
—, 1980, *Note sur la "maison" des Dinomenides*, in «Miscellanea di studi classici in onore di E. Manni» VI, Roma 1980, pp. 2139-2156.

R. Van Compernolle
—, 1957, *Les Deinomènides et le culte de Demeter et Korè à Géla*, in «Hommages W. Deonna», Bruxelles 1957, pp. 474 sgg.
—, 1961, *L'hellenisation de la Sicilie antique*, «Revue de l'Université de Bruxelles», 1961, pp. 20 sgg.
—, 1990, *Il regime democratico a Gela nel V sec. a.C.*, in «Studia Bruxelliensia», II, 1990, pp. 193-201.

R. Vattuone
—, 1983, *Ricerche su Timeo: la "fine" di Agatocle*, Firenze 1983.

G. Voza
—, 1980, *La Sicilia prima dei Greci. Problematica archeologica*, in AA.Vv., *La Sicilia antica*, Napoli 1980, I, 1, pp. 5-38.

H. WENTKER
—, 1956, *Die Ktisis von Gela bei Thucydides*, in MDAI (R), LXIII, 1965, pp. 129-163.

H.D. WESTLAKE
—, 1949, *The purpose of Timoleon's mission*, AJPh 70, 1949, pp. 65-75.

D. WHITE
—, 1964, *Demeter's Sicilian Cult as a Political Instrument*, GRBS 5, 1964, pp. 261-279.

ZIEGLER
—, 1910, *Gela*, in Pauly Realenciclopädie der classichen Altertum Wissenschaft, Stuttgart 1910.


Le scoperte numismatiche sono state segnalate da P. Griffo, P. Orlandini e D. Adamesteanu, in «Annali dell'Istituto Italiano di Numismatica», 1954, 1955, 1956, 1958-59, 1960-61, 1962-64.

Si vedano inoltre i notiziari in FA, 1954 [1956], n. 2084; 1955 [1957], n. 1887; 1948 [1950], n. 1157, 1392, 1393; 1956 [1958], n. 2006; 1957 [1959], n. 325; 1961 [1064], n. 2005; 1963-64 [1968], n. 3136; B. Neutsch in AA, 1954, col. 630; A.W. Van Buren in AJA 59, 1955, 310-312; A.J.D. Trendall, *Archeological Reports*, in JHS 76, 1956, 51; ed ancora: G. CANZANELLA, in *Biblioteca topografica della colonizzazione greca in Italia e nelle isole tirreniche*, X, Roma-Pisa 1993, s.v. Gela; Enciclopedia dell'Arte Antica III, s.v. Gela.

# Note

## Tucidide e la storia di Gela

1. VI, 1-5.
2. La più ampia raccolta di materiale, con discussione e bibliografia, resta quella di R. Van Compernolle. *Etud. de chron. et d'historiogr. siciliotes*, Bruxelles-Rome 1960, pp. 437 e sgg. e *passim*.
3. Cfr. *FGrHist*, 555, FF 2, 3, 5, 11; meriti maggiori della ricerca nella direzione di Antioco di Siracusa vanno riconosciuti a Ed. Woelfflin, *Antiochos von Syrakus und Coelius Antipater*, Winterthur 1872, pp. 1-21.
4. I, 97, 2: altra obiezione *infra* a proposito della migrazione sicula.
5. *A.R.*, I, 22, 5.
6. VI, 2, 5.
7. *FGrHist*, 4 F 79; è una opportuna osservazione del Van Compernolle, cit., pp. 458.
8. *FGrHist*, 555 F 2-7.
9. Id., F 3 b: esame di vari aspetti della tradizione sui Siculi in S. Cataldi, RFIC, 117, 1989, pp. 145 e sgg.
10. Per altre date dei *Troikà* cfr., ad es., S. Mazzarino, *Il pens. stor. class.*, Bari 1966, II, 2, pp. 427 e sgg.
11. I, 12.
12. *FGrHist*, 241 F 1a.
13. I, 12.
14. I, 18.
15. Perspicuo profilo del problema relativo ai calcoli cronologici, in D. Asheri, *La Sicilia antica*, a cura di E. Gabba e G. Vallet, Napoli 1980, 1, pp. 94 e sgg.
16. Il "punto" sul problema recentemente in E. Bianco, Πλοῦς ἐς Σικελίαν, a cura di S. Cataldi, Torino 1992, pp. 7 e sgg.
17. In questo senso cfr. S. Mazzarino, cit., I, pp. 270 e sgg.
18. Cfr. anche l'interpretazione di H. Wentker, MDAI, LXIII, 1965,, pp. 129 e sgg.
19. Cfr. ad es., lo stesso Tucidide, I, 12, 1; 63, II, 54; Plat., *Men*, 82 b.
20. VII, 27, 2-3.
21. Nell'ambito della stessa breve *archaiologhia* πρῶτον ricorre almeno altre due volte in correlazione esplicita o implicita con ὕπειτα, ἕστερον (3, 2; 4, 5).
22. XIII, 108 e sgg.
23. XIII, 108, 9.
24. Per un'analisi del testo diodoreo, cfr. anche P. Orlandini, «Kokalos», II, 1956, pp. 158 e sgg.; ibid., XI, 1958, pp. 24 e sgg. e G. Uggeri, SIFC, n.s., 39,

1967, p. 252 e sgg.; su alcuni aspetti della storia di Gela arcaica cfr. N. Luraghi, *Tirannidi arcaiche in Sicilia e Magna Grecia*, Firenze 1994, pp. 176 e sgg.
25. Diod., XIV, 68, 2.
26. Cfr. *infra* p. 61 e 80 e sgg. del presente volume con puntuale informazione e relativa bibliografia.
27. Thuc., VI, 17, 2.
28. VI, 4, 5-6.
29. VI, 5, 1.
30. Su questi aspetti cfr. le acute pagine di S. Mazzarino, cit., I, pp. 231 e sgg.
31. *FGrHist*, 4 F 82.
32. VII, 153, 1-2.
33. Schol. Pind., *Ol.* II, 82; III, 68.
34. *FGrHist*, 569 F 1.
35. Raccolta del materiale e discussione in Asheri, cit., pp. 125 e sgg.
36. X, 27, 8.
37. Sulla fondazione di Agrigento ampia analisi e bibliografia in D. Musti, *Agrigento e la Sicilia greca*, a cura di L. Braccesi e E. De Miro, Roma 1992, pp. 27 e sgg.

## Profilo geologico del territorio gelese

1. V. Amico, 1877, s.v. *Terranova*, p. 592.
2. Sull'argomento si vedano: *Carta geologica d'Italia. Gela*, Foglio 272 della Carta 1:100 000 dell'I.G.M., Firenze 1955; R. Casnedi e G. Cassinis, in «Boll. Soc. It.», 194, 1975 (1977), pp. 1983-2017; A. Catalano e B. D'Argento, *Guida alla geologia della Sicilia occidentale*, in «Memorie Società Geologica Italiana» 24, 1982, suppl. A, 115-118; A. Marsiano, 1986, pp. 9 sgg.; M.M. Morciano, 1993-94, pp. 12 sgg. Ringrazio il Dott. R. Paci per i dati geologici forniti.
3. P. Orsi, 1908, pp. 119 sgg.
4. G. Fiorentini ,1985, pp. 9 sgg.
5. Cfr. R. Panvini, 1992, R. Panvini e V. Caminneci, 1993.
6. Per questi siti si vedano: P. Orsi, 1901, pp. 153 sgg.; Idem, 1906, p. 28; D. Adamesteanu,1960, coll. 219 sgg.; P. Griffo, 1963, p. 36; P. Orlandini, 1965, p. 409; Idem, FA, IX, 1954, n. 2084; Idem, 1961, p. 138; E. De Miro e G. Fiorentini, 1976-77, pp. 431 sgg.
7. Cfr. NSc, 1962, p. 400.
8. Cfr. D. Adamesteanu, 1958 (b), pp. 290 sgg.
9. R.R. Holloway, *Primi saggi di scavo a "La Muculufa" (Butera)*, in «Sic. Arch.», 52-53, 1983, pp. 33 sgg.; Idem, 1984-85, pp. 483 sgg.; Idem, *Scavi archeologici alla Muculufa e premesse per lo studio della cultura castellucciana*, in «Atti della 2ª giornata di studi sull'Arch. licatese e della zona della bassa valle dell'Imera», 1986, p. 77 sgg.; R. Holloway, M.S. Joukowsky e S.S. Lukesh, *Mining La Muculufa Archeology*, 41, 1, 1988, pp. 40 sgg.
10. P. Orsi, 1901, pp. 163 sgg.; P. Orlandini, 1961, pp. 26 sgg.; Idem, 1962; L. Bernabò Brea, 1958, p. 108; S. Tusa, 1983, p. 345.
11. G. Fiorentini, 1985-86, p. 26.

12. V. La Rosa, *Sopralluoghi e ricerche attorno a Milena nella media valle del Platani*, in «Cronache Arch.», 1979 (estratto), pp. 76-103; Idem, *La media e tarda età del Bronzo nel territorio di Milena. Rapporto preliminare sulle ricerche degli anni 1978-79*, in «Kokalos» XXVI-XXVII, 1980-81, pp. 642 sgg., 1980-81, pp. 642-648; V. La Rosa e A. D'Agata, *Uno scarico dell'età del bronzo sulla Serra del Palco di Milena*, in «Quaderni», 3, 1988, pp. 5-23.

13. P. Orsi, 1913, coll. 59 sgg.; L. Bernabò Brea, 1953-54, pp. 157 sgg.; Idem, 1958, pp. 153 sgg.; A. Bietti Sestrieri, 1979, pp. 599 sgg.; Eadem, 1980-81, pp. 8-88; S. Tusa, 1992, pp. 483-487.

14. P. E. Arias, NSc, 1936, pp. 368 sgg.

15. Recenti indagini nell'area della necropoli e dell'abitato di Dessueri sono state condotte a cura della scrivente e i risultati sono in corso di stampa negli «Atti del Convegno Internazionale di studi sulla Sicilia antica», 1993.

16. D. Adamesteanu, 1958 (a), pp. 205-672; P. Orlandini, 1961 (b), pp. 145-149; Idem, 1962 (c), pp. 78-82; G. Rizza, 1984-85, pp. 65-70; G. Guzzone, 1985-86, pp. 7 sgg.

## La fondazione di Gela attraverso le fonti

1. Sul problema si vedano: J. Berard, 1963; G. Vallet, 1967, pp. 67-142; D. Asheri, 1980, pp. 89-139; E. Lepore, 1969, pp. 175-188; Aa.Vv., 1978; Aa.Vv., 1980 I; E. De Miro, in Aa.Vv., 1985 (b), pp. 563-576 (con bibliografia precedente).

2. Tuc., VI, 4, 3. Sulla fondazione di Gela si vedano: H. Freemann, I, 1891-94, pp. 398 sgg., E. Pais, 1933-38, pp. 325 sgg.; Pauly-Wissowa, VII, coll. 946 sgg.; H. Wentker, 1956-57, pp. 129-139; J. Berard, 1963, pp. 225 sgg.; D. Asheri, 1980, pp. 125 sgg.

3. Erod., VII, 153, 1.

4. Eusebio, *Chronicon*, ed. Helm, p. 184.

5. Girolamo, ed. Helm, p. 93

6. Diod., VIII, 23, 1.

7. Aristeneto, apud Stefano di Bisanzio, s.v. Γέλας, FHG, p. 319.

8. Filistefano, apud Ateneo, VII, 2297 f, FHG, III, 1, p. 29.

9. Schol. Pind. Olim., II, 16, b.

10. *Etym. Mag.*, 225, 1.

11. *Cron. Lind.*, 28 (Blinkeberg, *La Cronique du Temple Lindien*, in «Bulletin de l'Académie de Danemark», Copenaghen 1912, 28).

12. Schol. ad Pind. Olimpica, II, 15; Erod., VII, 153; Stefano di Bisanzio s.v. *Lindos*.

13. Erod., VII, 153.

14. Stefano di Bisanzio, s.v. Γέλας.

15. Aristeneto, apud Stefano di Bisanzio, s.v. Γέλας.

16. Tuc., VI, 4, 4.

17. H. Wentker, 1956, pp. 129-139. Sulla fondazione di Gela si vedano: J. Berard, 1963, pp. 225-232; P. Orlandini, 1963, pp. 50-56; E. De Miro e G. Fiorentini, 1978, pp. 90 sgg.; G. Fiorentini e E. De Miro, 1983, pp. 54-106; Aa.Vv., 1980, pp. 561-571. Sulla colonizzazione del territorio da parte dei coloni rodio-cretesi si vedano: D. Adamesteanu, 1954 (b), pp. 10 sgg.; Idem, 1956 (b), pp. 121 sgg.;

Idem, 1957 (c), pp. 147-180; Idem, 1958 (b); Idem, 1961, pp. 45 sgg.; Idem, 1962 (a), pp. 167 sgg.; P. Orlandini, 1962 (c), pp. 69 sgg.; P. E. Arias, 1974, pp. 93-208; G. Maddoli, 1980, pp. 15 sgg.

18. P. Orlandini, 1963, pp. 50 sgg.

19. G. Fiorentini, pp. 60 sgg. e pp. 73 sgg.; E. De Miro, 1983, pp. 73 sgg.

20. G. Fiorentini e E. De Miro, 1983, pp. 64 sgg.

21. P. Orlandini, 1963, pp. 52 sgg.

22. P. Orsi, 1907, pp. 38-40; L. Bernabò Brea, 1949-51, pp. 8-102; P. Orlandini, 1968, pp. 21 sgg.

23. NSc, 1956, pp. 205 sgg.

24. P. Orlandini, 1968, pp. 27 sgg.

25. D. Levi, 1956, pp. 56 sgg.

26. G. Fiorentini, 1977, pp. 106-107; E. De Miro e G. Fiorentini, 1976-77, p. 431 sgg.; G. Fiorentini, 1985, pp. 13 sgg.

27. Cfr. NSc, 1956, pp. 264 sgg.

28. Cfr. NSc, 1956, p. 277.

29. E. De Miro e G. Fiorentini, 1978, p. 64.

30. Cfr. NSc, 1956, pp. 289 sgg.

31. D. Adamesteanu, 1960, pp. 225-226; P. Orlandini, 1963, pp. 73-74.

32. P. Orsi, 1906, coll. 575-530; P. Orlandini, 1966, pp. 8 sgg.

33. P. Orlandini, 1962 (b), coll. 1-78.

34. P. Orlandini, 1962 (c), pp. 75 sgg.

35. Paus., VIII, 46, 2; IX, 40, 4.

36. Erod., VII, 155.

37. *Cron. Lind.*, XXV.

38. P. Orlandini, 1961 (b), p. 145; P. Orlandini, 1962 (c), p. 82.

39. D. Adamesteanu, 1958 (a), coll. 205-672.

40. G. Rizza, 1984-85, pp. 65-70.

41. P. Orsi, 1905, pp. 447 sgg.; P. Orsi, 1907, pp. 497 sgg.

42. D. Adamesteanu, 1954 (b), Idem, 1955 (c), pp. 10 sgg.; Idem, 1956, pp. 359 e 362; Idem, 1955 (a), pp. 179-186; Idem, 1956, pp. 358-372; Idem, 1957 (c), pp. 20 sgg.; Idem, 1958 (c), pp. 1 sgg.; Idem, in EAA, s.v. *Monte Bubbonia*; Idem, 1961, pp. 45-52.

43. D. Pancucci, 1973 (a), pp. 8 sgg.; Idem, 1973 (b), pp. 49-55; Idem, 1976-77, pp. 470-478; Idem, 1976-77, pp. 119-124; Idem, 1980-81, pp. 649 sgg.; D. Pancucci e M. C. Naro, 1992.

44. Cfr. FHG I Philistos, fr. 4.

45. D. Adamesteanu, 1958 (b), pp. 335-339.

46. R. Panvini, 1988-89, pp. 36 sgg.

47. P. Orlandini, 1962 (c), pp. 86-96; Idem, 1965 (e), pp. 133-140; Idem, 1968, pp. 151-156; Idem, 1968-69, pp. 329-330; M. Sedita Migliore, 1981, E. De Miro, 1981, pp. 335-343; R. Mollo, 1987, pp. 137 sgg.

48. P. Orlandini, 1962 (c), pp. 108 sgg.; R. Panvini, 1990, pp. 13 sgg.

49. D. Adamesteanu, 1955 (c), 2457; Idem, 1956 (a), pp. 367-368; Idem, 1958 (b), pp. 387-408; R. M. Bonacasa Carra, 1974, pp. 103; C. Miccichè, 1986, pp. 18-21; Idem, 1989, pp. 76 sgg.; Idem, 1990, pp. 183-191.

50. Tracce di un centro greco sono affiorate in Contrada Castellana, fuori dal moderno paese.

51. D. Adamesteanu, 1958 (b), pp. 383-387.

52. E. Pais, 1938, pp. 279-296; P. Orsi, 1911, coll. 729-850; T.J. Dunbabin, 1948, pp. 115-119; D. Adamesteanu, 1955 (a), pp. 183-186; P. Orlandini, 1962 (c), pp. 89 sgg.

53. T.J. Dunbabin, 1948, pp. 138-139; E. De Miro, 1956, pp. 263-273; D. Adamesteanu, 1954 (b), p. 13; E. Manni, 1971, pp. 124-130; E. De Miro e G. Fiorentini, 1976-77, pp. 427-430; G. Fiorentini, 1980, pp. 583 sgg.; V. Tusa e E. De Miro, 1983, pp. 202 sgg.; A. De Miro, *Il santuario di località Casalicchio*, in «Atti I Giornata di Studi nell'archeologia licatese e della zona della bassa valle dell'Himera» (Licata 1985), Palermo 1986, pp. 97 sgg.

54. P. Marconi, 1928, pp. 499-510; Idem 1930, pp. 411-413.

55. P. Mingazzini, 1938, coll. 621-629.

56. D. Adamesteanu, 1956 (b), pp. 121-146.

57. Aa.Vv., 1985 (a), con bibliografia precedente.

58. J. Berard, 1963, pp. 232-235; E. De Miro, 1962, pp. 140 sgg.; J. A. De Waele, 1980, pp. 747-760; Aa.Vv., 1980, pp. 485-495.

59. Per alcuni esemplari si veda: M. Cristofani Martelli, CVA, 1972, p. 3, tav. 1.

60. G. Fiorentini e E. De Miro, 1983, p. 80, fig. 41.

61. Per un esemplare simile si veda: M. Cristofani Martelli, CVA, 1973, p. 3, tav. 33.

62. J. N. Coldstream, *Greek geometric pottery*, London 1968, p. 276, pp. 380-381.

63. Per un esemplare si veda: M. Cristofani Martelli, CVA, 1972, p. 3, tav. 33.

64. P. Orsi, 1906, coll. 194 sgg., tav. V, 2; G. Lo Porto, *Antichità cretesi*, in *Studi in onore di Doro Levi*, in «Cron. Arch.», 1974, p. 179.

65. J. N. Coldstream, *op. cit.*, pp. 375 sgg.

66. Per alcuni esemplari di ceramica argiva si vedano: M. Cristofani Martelli, CVA, 1973, p. 4, tav. 32; G. Fiorentini e E. De Miro, 1983, p. 82, fig. 49.

67. G. Fiorentini e E. De Miro, 1983, p. 83, fig. 51.

68. D. Adamesteanu, 1953 (a), pp. 244 sgg.

69. P. Orlandini, in Aa.Vv., *La ceramique de la Grèce de l'Est et leur diffusion en occident*, Napoli 1976, p. 94.

70. D. Adamesteanu, 1953, p. 277 sgg.

71. P. Orlandini, 1966, p. 26, tav. XXXIV, 2; Idem 1964, pp. 13 sgg.

72. Cfr. NSc, 1956, p. 210, n. 2, fig. 7a-7b; E. Meola, *Terrecotte orientalizzanti di Gela*, in M.A.L., XLVIII, 1971, p. 69; 1971, p. 75.

73. P. Orlandini, 1966, p. 27, tav. XXIII, fig. 1b; E. Meola, *op. cit.*, p. 75.

74. Cfr. NSc, 1962, p. 387, fig. 59 e p. 389, fig. 60; E. Meola, *op. cit.*, p. 58.

75. P. Orlandini, 1962 (b), p. 44 e p. 10.

76. *Ibidem*, p. 36 sgg., fig. 14 e p. 42, tav. IXc.

77. G. Rizza, in Aa.Vv., 1985 (b), p. 167.


*Gela tra il VII e il VI secolo a.C.*

1. E. De Miro 1962, pp. 142 sgg.

2. Cfr. cap. 2, nota 53.

3. Cfr. cap. 2, nota 57.

4. G. Rizza, *S. Angelo Muxaro e il problema delle influenze micenee in Sicilia*, in «Cron. Arch.» XVIII, 1979, pp. 19 sgg. (con bibliografia precedente).

5. D. Palermo, *Polizzello*, in «Contributi alla conoscenza dell'età del ferro in Sicilia. Monte Finocchito e Polizzello», «Cron. Arch.», XX, 1981, pp. 103 sgg. (con bibliografia relativa); E. De Miro, *Polizzello, centro della Sikania*, in «Quaderni» 3, 1990 (estratto).

6. G. Fiorentini, 1985-86, pp. 31-54.

7. E. De Miro, 1962, pp. 150 sgg.

8. P. Orlandini, 1971; G. Tigano, 1987, pp. 49 sgg.; N. Gullì, 1991, pp. 23 sgg.

9. Ci riferiamo al ben noto modellino fittile di sacello rinvenuto a Sabucina; in proposito cfr. P. Orlandini, 1962 (c), p. 103, tav. XXVIII; G. Castellana, 1983, pp. 1-12 (estratto). Per gli impianti urbanistici dei centri indigeni dell'entroterra si veda: E. De Miro, 1975, pp. 123 sgg.; Idem, 1981, pp. 335 sgg.

10. NSc, 1962, pp. 341 sgg.

11. G. Fiorentini, 1977, p. 432; E. De Miro e G. Fiorentini, 1976-77, pp. 105 sgg.; G. Fiorentini, 1985, pp. 20.

12. Cfr. NSc, 1962, p. 357 sgg.; P. Orlandini, 1968, pp. 23 sgg.

13. G. Fiorentini, 1977, p. 105 sgg.; I. Romeo, *Sacelli arcaici senza peristasi nella Sicilia greca*, in «Xenia», 17, 1989, pp. 16 sgg.

14. G. Fiorentini, 1977, p. 110.

15. I. Romeo, cit., p. 20.

16. G. Fiorentini, 1977, p. 108.

17. E. De Miro e G. Fiorentini, 1976-77, p. 440.

18. Cfr. NSc, 1960, p. 171; E. De Miro e G. Fiorentini, 1976-77, p. 441.

19. P. Orlandini, 1958 (b), pp. 117 sgg.

20. P. Orlandini, 1968, pp. 21 sgg.

21. D. Adamesteanu, 1953 (b), pp. 1 sgg.

22. P. Orsi, 1907, pp. 38 sgg.

23. L. Bernabò Brea, 1952, pp. 8-102 (con bibliografia precedente).

24. H. K. Susserott, *Das Schatzhaus von Gela*, in «Olympische Forschungen», I, 1944; W. Doerpfeld et alii, *Ueber die Verwerdung von Terrakotten am Geison und Dache griechischer Barwerke*, in «XLI Winckelmannsprogramm», Berlin, 1891; Ausgrabungen zu Olympia II e II (1892).

25. G. Fiorentini, 1988-89, pp. 23 sgg.

26. R. Panvini, 1995.

27. Tuc., VII, 33.

28. Cfr. NSc, 1956, pp. 217-229; P. Orlandini, 1968, pp. 30 sgg.

29. Cfr. NSc, 1962, pp. 341 sgg.; P. Orlandini, 1968, p. 31.

30. Cfr. NSc, 1956, p. 268, fig. 6.

31. *Ibidem*, p. 273, fig. 1.

32. *Ibidem*, pp. 264-273.

33. *Ibidem*, p. 264.

34. P. Orsi, 1906, coll. 575-730.

35. P. Orlandini, 1966, pp. 8 sgg.; Idem, 1967, pp. 174 sgg.; Idem, 1968, pp. 1 sgg.

36. P. Orlandini, 1965 (c), pp. 445-447.

37. P. Orlandini, 1962.

38. Cfr. NSc, 1956, pp. 242-252.

39. P. Orlandini, 1968, p. 32, fig. 11.

40. Cfr. NSc, 1956, pp. 252-263; per il tesoretto di monete si vedano: A.I.I.N., 1960, pp. 301-302; L. Breglia, *I rinvenimenti di monete ateniesi in Sicilia e in*

*Magna Grecia*, in «Atti del I Convegno del Centro internazionale di studi numismatici», Suppl. A.I.I.N. 12-14 (1969).

41. Cfr. NSc, 1956, pp. 382-392.

42. Cfr. Kern, in Pauly-Wissowa R. E. s.v. *Demeter*.

43. P. Orsi, 1906, col. 558.

44. Cfr. NSc, 1960, p. 69, fig. 7.

45. E. Gabrici, *La monetazione di bronzo della Sicilia antica*, Palermo 1927, tav. IV, 13.

46. P. Orlandini, 1968, pp. 47 sgg.

47. *Ibidem*, pp. 48 sgg.

48. Il culto di Asclepio sarebbe dimostrato dal fatto che a Gela visse il medico e asclepiade Pausania. Il culto di Apollo, invece, è stato suggerito dalla notizia di Diodoro (XIII, 108, 4), che menziona una statua bronzea di Apollo, fuori dalle mura.

49. Timeo, apud Schol. Pindaro Pythica I, 185.

50. Cfr. NSc, 1960, pp. 227 sgg.

51. In località Marchito è stato rinvenuto un vaso a vernice nera del VI-V secolo a.c. con iscrizione dedicatoria ad Eracle.

52. In Contrada Arcia è stato rinvenuto un frammento di antefissa silenica; cfr. P. Orlandini, 1962 (c), p. 76 con relativa bibliografia.

53. In località S. Ippolito è venuto alla luce un *oscillum* fittile con il volto della Medusa e l'iscrizione dedicatoria ad Eracle (310-280 a.C.).

54. D. Adamesteanu, 1958 (b), pp. 25-34.

55. *Ibidem*, pp. 356 sgg.

56. R. Panvini, 1992 (b); R. Panvini e V. Caminneci, 1993-94.

57. P. Orlandini, 1966, p. 25, tavv. XIX-XX.

58. *Ibidem*, p. 23, tav. XIX, fig. 1.

59. *Ibidem*, p. 25.

60. *Ibidem*, p. 25, tav. XX, figg. 3-4.

61. Per gli esemplari si veda: M. Cristofani Martelli, CVA, 1973, pp. 5 sgg., tav. 35; J. Hayes, *Excavation at Tocra*, 1963-65, 1966, pp. 111.

62. Per alcuni esemplari di questo tipo si vedano: M. Cristofani Martelli, CVA, 1973, p. 3, tav. 33; P. Orlandini, 1966, p. 26.

63. Per alcuni esemplari di questo tipo si veda: M. Cristofani Martelli, CVA, 1973, pp. 3 sgg., tav. 33.

64. Cfr. P. Orsi, 1906, tav. 5.

65. Sulla ceramica laconica si veda: P. Pelagatti, *Ceramica laconica in Sicilia e a Lipari*, in «Boll. d'Arte», 1989, 54, p. 42 (con bibliografia relativa).

66. P. Orlandini, 1954 (c), p. 1.

67. D. Adamesteanu, 1953 (b), pp. 1 sgg.; Idem, 1958 (f), pp. 10 sgg.

68. E. De Miro e G. Fiorentini, 1976-77, pp. 437 sgg.

69. Cfr. NSc, 1956, p. 269, fig. 6.

70. P. Orsi, 1906, pp. 31-232.

71. P. Orlandini, 1956, pp. 360 sgg.; Idem, 1960, pp. 161 sgg.

72. Cfr. F. Giudice, CVA, 1974, p. 7, tav. 16.

73. Cfr. F. Giudice, CVA, 1979, p. 9, tavv. 2-3.

74. Cfr. *ibidem*, pp. 16 sgg.

75. Cfr. *ibidem*, pp. 11 sgg. e relative tavole.

76. Cfr. P. Orsi, col. 386, fig. 285; cfr. NSc, 1956, p. 381.

77. La Collezione Navarro, della quale fanno parte moltissimi vasi corinzi, attici a figure nere e a figure rosse, è esposta presso il locale Museo Archeologico.

## Il periodo della tirannide (505-478 a.C.)

1. Sul periodo storico relativo alla tirannide si vedano in particolare: G. De Sanctis, 1958, pp. 103-119; H. Berve, 1967; C. Mosse, 1969; M. Finley, 1972, pp. 65-79; S. I. Oost, 1976, pp. 224-236; L. Braccesi, 1978, pp. 377-382; G. Maddoli, 1980 (b), pp. 3-15; F. Sartori, 1993, pp. 77-93; G. Vallet, 1980, pp. 2139-2156; G. Bruno Sunseri, 1980, pp. 295-308; Aa.Vv., 1980; G. Pugliese Carratelli, 1932, pp. 3-25; Idem, 1985, pp. 1-78; C. Miccichè, 1989, p. 71 sgg. Fonti storiche: Aristotele, *Politica*, 5, 1316 a 37; Erod. VII, 154, 1.

2. Sulla figura e l'opera di Ippocrate si vedano, oltre gli studi generali riportati nella Bibliografia, anche: E. Pais, 1938, pp. 338 sgg.; T. J. Dunbabin, 1948, pp. 376 sgg.

3. Erod., VII, 154, 1.

4. È soprattutto Erodoto che consente di seguire le tappe dell'avanzata di Ippocrate (VI, 23; VII, 153-154). Cfr. pure Polieno, 5, 6; Pindaro, Nemea, 9, 40-43; Timeo, C/G. Hist. 566 F 18; Diod., X, 28, 1; Schol. Pindaro Nemea, 9, 33a; 95a; 95b; Timeo, C/G. Hist. 566 F 15, ap. Schol. Pindaro, Olimpica, 5, 19b.

5. J. G. K. Jenkins, *The Coinage of Gela in the Tyrannis*, in Congresso Intern. Numismatica, II, Roma 1965, p. 131 sgg.; S. Garraffo, *Le riconiazioni in Magna Grecia e Sicilia. Emissioni argentee dal VI al V sec. a.C.*, Palermo 1984.

6. Erod., VII, 164.

7. Erod., VII, 154 e Tuc., VI, 5, 3.

8. Erod., VII, 155.

9. Paus., 6, 9, 4-5.

10. Erod., VII, 155.

11. Erod., VII, 156.

12. Erod., VII, 157.

13. Erod., VII, 167; Diod., XI, 20.

14. Dionigi di Alicarnasso (VII, 433; VIII, 538) e Tito Livio (I, 19) riferiscono che quando Gelone era tiranno di Gela fece dono di una grande quantità di grano a Roma, che in un momento della Repubblica era afflitta dalla carestia; lo stesso tiranno fece trasportare gratuitamente con le sue navi il grano a Roma. Cfr. anche Diod. X, 29, 1.

15. Cfr. H. K. Jenkins, 1970, p. 29.

16. Cfr. *ibidem*, pp. 31 sgg.

17. Diod., II, 254, 255, 256.

18. Sul relitto si vedano. R. Panvini, 1989, pp. 193 sgg.; Eadem, 1992; Eadem, 1993; A. Freschi, 1989, pp. 201 sgg.; G. Fiorentini, 1990, pp. 25 sgg.; R. Panvini, 1992, pp. 59-67; R. Panvini, *Materiali di culto sulla nave di Gela* (in corso di stampa).

19. Sulle navi con tecnica a «guscio» si veda O. Höchmann, *La navigazione nel mondo antico*, München 1985, pp. 78 sgg.

20. In proposito si veda: O. Höchmann, ibidem, 1985, p. 58 con bibliografia relativa.

21. Cfr. J. P. Joncheray, *Un epave grecque ou étrusque au large de Saint Tropez: le navire de Bon Porté*, in «Cahiers de l'archéologie subaquatique», 29, 1978, pp. 62-70; P. Pomey, *L'epave du Bon Porté et les bateaux cousus de Mediterranée*, in «Mariner Mirrors», 67, 3, 1981, pp. 225 sgg.

22. Sul relitto di Israele si veda: E. Linder, *The Ma'agan Shipweck Excavation. First Seasson*, 1988, C. M. S., New University Hayfa 1989; I. P. Rosloff, *Ma'agan Michael Vessel. Israel. A Preliminary Report*, in «International Journal of Nautical Archeology», 20, 1991, pp. 223 sgg.

23. Sul relitto di Comacchio si veda: F. Berti, *Rinvenimenti di archeologia fluviale ed endolagunare del delta ferrarese*, in «Boll. d'Arte», 37-38, 1986, p. 19 sgg. Sul relitto di Nin si veda: Z. Raknich, *Nekolico Novih Rimskth Spaljenich Grobova 12 Zadra*, «Diadora», 1988, pp. 211 sgg.

24. Uno dei canestri individuati sulla nave di Gela è stato sottoposto al trattamento di liofilizzazione presso il laboratorio del Museo di Neuchâtel; in proposito si veda, B. Hug, *Rapporto sull'intervento conservativo degli oggetti in materiale organico provenienti dal relitto arcaico di Gela*, in «Quaderni», 5, 1990, pp. 37 sgg.

25. Per il tipo, cfr. M. Lambrino, *Les vases archaiques d'Histmia*, Bucaresti 1938, fig. 75, tipo A2; J. K. Anderson, *Excavation on the Kofinà Ridge*, Chios, in «BSA», 49, 1954, p. 139, fig. 8, n. 51; S. Dimitru, P. Alexandrescu e C. Preda, *Histmia II*, Bucaresti 1966, p. 90, tav. 52, n. 369; V. Grace, *Anphoras and Ancient Wine Trade*, Princeton 1979, fig. 44, n. 2; P. Dupont 1982, *Anphores commerciales archaique de la Grèce de l'Est*, in «PdP», 204-207, 1992, pp. 196-198, fig. 2.

26. Per il tipo, cfr. B. G. Clinkenbeard, *Lesbian Wine and Storage Anphoras*, in «Hesperia», 51, 1982, p. 251, tavv. 70-71.

27. Per il tipo, cfr. M. Slaska, *Gravisca. Le ceramiche comuni di produzione greco-orientale*, in *La céramique de la Grèce de l'Est et leur diffusion en Occident*, Napoli 1978, p. 229, fig. 30; V. Grace, *Samian Anphoras*, in «Hesperia», XL, 1971, p. 71, fig. 2; E. Doger, *Premières remarques sur les amphores de Clazomènes*, in «BCM», suppl. XIII, 1986, pp. 464-466, fig. 5 c.

28. Per il tipo, cfr. M. PY., *Quatre siècles d'amphore massaliote. Essai de classification des bords*, in «Figulina», 3, 1978, pp. 7-8, fig. 3; M. Cavalier, *Les amphores du VI à IV siècle dans les fouilles de Lipari*, Napoli 1985, pp. 26-27, 1985, p. 74, tav. XXII d.

29. Per il tipo, cfr. C. G. Koeler, *Korinthian A and B Transport Amphoras*, diss. *Princeton University*, 1978, pp. 101-104, tav. 5, 14; N. Di Sandro, *Le anfore arcaiche dello scarico Gosetti, Pithecusa*, Napoli 1986, p. 57, n. 55; 1986, p. 57, n. 55.

30. Per il tipo, cfr. C. G. Koeler, *op. cit.*, tav. 39, nn. 214-216.

31. Per il tipo degli *askoi*, cfr. B. A. Sparkes e L. Talcott, *The Athenian Agora*, Princeton 1970, XII, 1166-1168.

32. Cfr. G. Fiorentini 1990, pp. 33 sgg.

33. Il braccino della statuetta è stato sottoposto ad un trattamento di liofilizzazione per assicurarne una più idonea conservazione; in proposito, si veda: B. Hug, *op. cit.*, 1990, pp. 37 sgg.

34. In proposito si consultino: P. A. Gianfrotta, *Le ancore votive di Sostrato di Egina e Faillo di Crotone*, in «PdP», 1975, pp. 311 sgg.; G. Kapitän, *Louteria from the sea of Sicily*, in «International Journal of Nautical Archeology», 1979, pp. 97 sgg.; G. Maetzke, *Nuove testimonianze della presenza del tabernacolo a*

*bordo delle navi romane*, in «Gli archeologi italiani in onore di A. Maiuri», 1965, pp. 245 sgg.

35. In proposito si vedano: A. Pickard e Cambridge, *The Dramatic Festivals of Athens*, Oxford 1968, pp. 12 sgg.; E. De Miro, *Lastra di piombo con scena dionisiaca del territorio di Piazza Armerina*, in Aa.Vv., *Aparchai. Nuove ricerche e studi in onore di P. E. Arias*, I-III, Pisa 1982, pp. 179-182.

36. Per il tipo, cfr. C. Blinkeberg, *Lindos*, I, n. 422.

37. Vedi *infra*, nota 13.

38. Erod., VII, 157 sgg.

39. F. Giudice, in CVA, 1974, tavv. 17, 3, 4; 18, 3-4.

40. P. Orsi, 1906, p. 121, fig. 88; Haspels, *Attic Black-figured Lekythoi*, Paris, 1936, pp. 99 e 227.

41. Cfr. F. Giudice, in CVA, 1974, p. 9, tav. 21.

42. *Ibidem*, p. 8, tav. 17.

43. *Ibidem*, p. 8, tav. 21.

44. *Ibidem*, p. 9, tav. 20.

45. *Ibidem*, p. 9, tav. 52.

46. *Ibidem*, p. 5, tav. 29.

47. *Ibidem*, p. 9, tav. 35.

48. Cfr. P. Orsi, 1906, p. 392; J. Beazley, *Attic Red-figure Vase painters*, Oxford, 1956, 2, pp. 211, 198.

49. Cfr. F. Giudice, in CVA, 1974, p. 3, tav. 24.

50. *Ibidem*, p. 3, tav. 24, 1, 4, 5.

51. Cfr. cap. 3, nota 77.

52. La *pelike* è conservata nel Museo di Siracusa; cfr. P. E. Arias, CVA, Italia XVII, Siracusa I, p. 5, tav. 7, 1-2; J. Beazley, *Attic Red-figure Vase-painters*, Oxford 1956, 2, p. 238, 5.

53. Cfr. L. Deubner, *Zu den Tesmophoria und anderen attischen Festen*, in AA, 1936, p. 342.

54. Griffo, A.I.I.N., 1960, p. 301 sgg.; P. Orlandini, in «Atti del I Convegno del Centro Internazionale di Studi Numismatici», Napoli 1967, p. 30 sgg.

55. L. Breglia, *Rinvenimenti di monete in Sicilia e Magna Grecia*, in «Atti del I Convegno del Centro Internazionale di Studi Numismatici», Napoli 1967, pp. 10 sgg.

56. P. Griffo, in A.I.I.N., 1955, pp. 199 sgg.

57. O. Höckmann, *op. cit.*, pp. 110 sgg.

58. E. De Miro e G. Fiorentini, 1976-77, pp. 430 sgg.

59. Cfr. P. Orlandini, 1968, pp. 23-25; E. De Miro e G. Fiorentini, 1976-77, p. 434.

60. G. Fiorentini, 1977, pp. 109 sgg.

61. *Ibidem*, pp. 110 sgg.

62. P. Orlandini, 1954 (d), p. 251; Idem, 1956 (a), p. 47.

63. Cfr. nota 62.

64. P. Orlandini, 1958 (b), p. 119.

65. P. Orlandini, 1962 (c), p. 103.

66. P. Orlandini, 1958 (b), p. 123.

67. E. De Miro e G. Fiorentini, 1976-77, p. 442.

68. *Ibidem*.

69. P. Orsi, 1906, pp. 547 sgg.

70. Guido delle Colonne, 1868, pp. 254-255.

71. G. Costa, 1857.

72. Koldwey - Puchstein, *Die griechische Tempeln in Unteritalien und Sicilien*, Berlin 1899, pp. 136-137.

73. P. Orlandini, 1968, p. 25. Lo scavo del Tempio C e nell'area intorno è ripreso solo da pochi mesi sotto la direzione della scrivente con la collaborazione della dott. M. Pizzo e della dott. L. Cavagnera.

74. Cfr. H. K. Suserott, *Das Schatzhaus von Gela*, in *Olympysche Forschungen*, I, 1944.

75. Sui donari di Gelone e dei Dinomenidi si veda, Dittemberger, *Syll. Inscr. Graec.*, 3ª ed., nn. 33-34. Sul tripode dedicato a Delfi si veda: Diod., XI, 26. Sulla quadriga bronzea dedicata da Gelone ad Olimpia per la vittoria nell'Olimpiade 73, si veda Paus. VI, 9, 4-5.

76. Diod., XI, 49; Schol. Pind., ad Olymp. VI, 162.

77. Vita Aeschyli, p. 332 Page.

## Da Ierone alla distruzione cartaginese del 405 a.C.

1. Diod., II, 268. Sulle vicende storiche legate a Ierone si vedano: Erod., VII, 156, 1-2; Diod., XI, 76, 4-5; Tuc., VI, 5, 3; Timeo, FGr. Hist. 566 F 19 a; Schol. Pindaro, Olimpica 2, 29 d.

2. Pap. Oxy., 665.

3. F. Gr. Hist., 566, F 44 = Stefano di Bisanzio, s.v. *Krastos*; Lex Suda, s.v. *Epixarmos*.

4. Diod., XI, 76, 3; 78, 5.

5. Tuc. IV, 59, 64.

6. Tuc., V, 4, 6.

7. In proposito si vedano: Tuc., VI, 67; Tuc., VII, 57, 58; Diod., XIII, 4, 2; Diod., XIII, 12, 4.

8. Diod., XIII, 108-111; Diod., XIII, 56, 1-2; XIII, 86, 5; XIII, 85, 3.

9. Sull'accampamento dei Cartaginesi presso Gela si vedano: G. Cultrera, 1908, pp. 3-14; L. Pareti, 1910, pp. 1-26; D. Adamesteanu, 1955 (d), pp. 142 sgg. Cfr. Diod., XIV, 66, 4; Pompeo Trogo, Prologi, 19, 4.

10. Diod., XIV, 66, 4 e 68, 2; XIII, 113, 4.

11. P. Orlandini, 1961, pp. 142 sgg.

12. Diod., XIII, 111, 2.

13. P. Orlandini, 1966, pp. 31 sgg.

14. G. Spagnolo, 1991, pp. 58 sgg.

15. E. De Miro e G. Fiorentini, 1976-77, p. 443, tav. XXXVIII, fig. 1.

16. P. Orlandini, 1961, p. 140, tav. XIV, fig. 6.

17. Cfr. NSc, 1962, p. 375, fig. 49; P. Orlandini, 1956 (a), p. 47.

18. F. Giudice, CVA, 1974, p. 2, tav. 39.

19. *Ibidem*, p. 7, tav. 32, 5.

20. F. Giudice, CVA, 1973, III, p. 8, tav. 34.

21. J. D. Beazley, *Attic Red-figure Vase-painters*, Oxford 2, 1963, pp. 598-599.

22. P. Orlandini, 1954 (b), pp. 34 sgg.

23. Cfr. F. Giudice, CVA, 1974, p. 13, tav. 42, 1-4.

24. *Ibidem*, III, p. 14, tav. 44.

25. P. Griffo, in A.I.I.N., 1955, n. 2, pp. 200-201.
26. D. Adamesteanu e P. Orlandini, in A.I.I.N., 1955, pp. 206-207.
27. R. Ross Holloway, *L'inizio della monetazione in bronzo siracusano*, in «Atti del VI Convegno del Centro Internazionale di Studi Numismatici», Napoli 1977 (Suppl. Annali Istituto Italiano di Numismatica), pp. 123-141.
28. G. K. Jenkins, 1970, pp. 249 sgg.
29. Cfr. NSc, 1956, p. 252.
30. G. K. Jenkins, 1970, p. 269, nn. 490-491-492.

## Gela nel IV secolo a.C.

1. Diod., XIII, 114, 1. Sulla Sicilia nel periodo di Dionisio I si vedano: M. Finley, 1972, pp. 101 sgg., K. F. Stoheker, 1958; M. Sordi, 1980, pp. 209-236.
2. Diod., XIV, 47, 6.
3. Diod., XVI, 9, 5; Plutarco, Dionisio 26, 4. Cfr. G. Nenci, *Considerazioni sui decreti di Entella*, in ASKP, III, XII, 1982, pp. 1069 sgg. (con bibliografia precedente).
4. C. Miccichè, 1989, pp. 102, 99 sgg.
5. G. Schubring, 1873, p. 89.
6. D. Adamesteanu e P. Orlandini, in A.I.I.N., 1956, n. 3, pp. 228-231.
7. G. Fiorentini, 1977, p. 110; E. De Miro e G. Fiorentini, 1976-77, pp. 435 sgg.; G. Fiorentini, 1985, pp. 19 sgg.
8. G. Fiorentini, 1977, p. 110.
9. E. De Miro e G. Fiorentini, 1976-77, pp. 435 sgg.
10. E. De Miro e G. Fiorentini, 1976-77, pp. 443 sgg.
11. M. Finley, 1972, pp. 127 sgg.; G. Pugliese Carratelli, in Aa.Vv., 1985, pp. 68 sgg.; con bibliografia relativa.
12. Plut., *Timol.* 35. Per il periodo di Timoleonte si vedano: H. D. Westlake, 1949, pp. 65-75; M. J. Fontana, 1958, pp. 3-23; D. Adamesteanu, 1958 (d), pp. 31-68; P. Orlandini, 1957, pp. 44 sgg.; D. Musti, 1962, pp. 450 sgg.; P. Léveque, 1968-69, pp. 135-141; R. J. A. Talbert, 1974; M. Sordi, 1961.
13. Diod., XVI, 65, 6; 68-70; 72-82; 90; Cornelio Nepote, Timoleonte.
14. Diod., XIX, 4, 4-7.
15. Diod., XIX, 107.
16. Diod., XIX, 107, 2 e XIX, 110.
17. P. Orlandini, 1956 (b), p. 171.
18. Diod., XX, 31, 4, 5 e XX, 62, 5.
19. Diod., XXII, 2, 2.
20. D. Adamesteanu, 1958 (b), pp. 31-68.
21. Idem, 1958 (b), pp. 25-34.
22. P. Orlandini, 1961, pp. 137 sgg.
23. E. De Miro e G. Fiorentini, 1976-77, p. 436; G. Fiorentini, 1985, pp. 19 sgg.
24. NSc, 1962, pp. 352-365.
25. G. Fiorentini, 1977, p. 110.
26. P. Orlandini, 1957 (a), pp. 54 sgg.
27. P. Orlandini, 1968, pp. 57 sgg.
28. *Ibidem*, p. 53.
29. *Ibidem*, p. 54

30. *Ibidem*, p. 55.
31. P. Griffo, in A.I.I.N., 3, 1956, pp. 232-233; G. K. Jenkins, 1970, pp. 279 sgg.
32. P. Orlandini, 1956 (b), p. 167.
33. P. Orlandini, 1957 (a), pp. 51 sgg.
34. NSc, 1960, pp. 181 sgg.
35. NSc, 1956, pp. 343 sgg.
36. NSc, 1960, pp. 165 sgg.; P. Orlandini, 1957 (a), pp. 57 sgg.
37. *Ibidem*, pp. 158 sgg.
38. *Ibidem*, p. 66.
39. *Ibidem*, p. 57.
40. D. Adamesteanu, 1958 c, pp. 25-34; Idem, NSc, 1958, pp. 311-316 sgg.; A. D. Trendall, *The Red-figured Vases of Lucania, Campania and Sicily*, 1967, p. 596 sgg.; F. Giudice, in Aa.Vv., 1985, pp. 243-261.
41. P. Orlandini, 1957 (b), p. 68; G. Fiorentini, 1985, p. 20.
42. M. T. Currò Pisano, in A.I.I.N. (1962-64), p. 231; R. Ross Holloway, *Ripostigli del Museo Archeologico di Siracusa*, in «Istituto Italiano in Numismatica», 1989, pp. 35-44.
43. M. Thompson, O. Morkholm e C. M. Kraay, *An Inventory of Greek Coin Hoards*, in «The American Numismatic Society», 1973, n. 2143.
44. P. Orsi, 1906, col. 538. Per i rinvenimenti di tali monete si vedano le comunicazioni di D. Adamesteanu e P. Orlandini, in A.I.I.N., pp. 209 sgg.; P. Griffo, in A.I.I.N., 1965, pp. 176-177.
45. R. Panvini, 1995.
46. P. Griffo, 1948, pp. 181-184; Idem, 1951, pp. 281-286; Idem, 1953; Idem, 1964-65, pp. 153 sgg.
47. D. Adamesteanu, 1955 (a), pp. 145 sgg.; Idem, 1957 (b), pp. 142-156; P. Orlandini, 1956 (b), pp. 165 sgg.; Idem, 1957 (a), pp. 71 sgg.; B. Neuthsch, 1954, pp. 642 sgg. Per ultimo si veda M. M. Morciano, 1993-94.
48. Cfr. nota 46.
49. Cfr. NSc, 1956, pp. 337 sgg.
50. D. Adamesteanu, 1954 (a), pp. 129 sgg.
51. D. Adamesteanu e P. Orlandini, in A.I.I.N., 1955, n. 2, p. 207; NSc, 1960, pp. 108-109.
52. Diog. Laerzio, VIII, 90. In proposito si veda G. Monaco, in Aa.Vv., 1989, pp. 505 sgg.

*Gela e il territorio in età romana: le fonti, i siti abitativi e i complessi ipogeici, i «praedia» Calvisiana e di Galba, la diffusione del cristianesimo, la «Massa Gelas»*

1. Cfr. NSc, 1956, pp. 343-354.
2. Cicerone, *Verr.*, III, 43.
3. Virgilio, *Eneide*, III, V, 703.
4. Plinio, *Nat. Hist.*, III, 91.
5. Strabone, VI, 5.
6. Tolomeo, III, 4, 3.

7. Sugli *Itineraria* si veda F. Garofalo, *Le vie romane in Sicilia. Studio sull'Itinerarium Antonini*, Napoli 1901; O. Kuntz, *Itineraria Romana*, I, Leipzig 1929, pp. 12-14; G. Uggeri, 1970, pp. 237 sgg.; Idem, 1969, pp. 107 sgg.; S. Lagona, 1980, pp. 111-130.

8. M. Amari e C. Schiaparelli, *L'Italia descritta nel "Libro del Re Ruggero"* compilato da Edrisi, Roma 1883, p. 65.

9. D. Adamesteanu, 1960, pp. 220-222.

10. G. Fiorentini, 1986, pp. 301 sgg.; R. M. Bonacasa Carra, 1987, pp. 29 sgg.

11. P. Orsi, col. 682; D. Adamesteanu, 1960, pp. 215 sgg.

12. P. Orsi, 1906, col. 741; G. Fiorentini, 1986, pp. 299 sgg.; R. M. Bonacasa Carra, 1987, pp. 27 sgg.

13. D. Adamesteanu, 1960, pp. 214 sgg.

14. P. Orlandini, 1966, pp. 10 sgg.

15. V. Caminneci, *Insediamenti romani nella Piana di Gela*, tesi discussa presso la Scuola di Perfezionamento in Archeologia Classica dell'Università di Catania, 1992-93, pp. 100 sgg.

16. M. Pinder e G. Parthey, *Ravennatis Anonumi Cosmographia et Guidonis Geographica ex libris manu scriptis ediderunt*, Berolini 1860.

17. Sulla *plaga calvisiana* si vedano: D. Disca, *Plaga Calvisiana*, Caltagirone 1949; B. Neutsch, 1954, c. 680; D. Adamesteanu, 1955, pp. 205-210; P. Orlandini, 1966, pp. 13 sgg.; G. Uggeri, 1970, p. 41; Idem, 1970, p. 111, con bibliografia relativa; S. Lagona, 1980, pp. 120 sgg.

18. Sulle tre ipotesi si vedano rispettivamente: E. De Miro, *Ricerche e valorizzazione dei monumenti paleocristiani e bizantini in Agrigento e nel territorio*, in Kokalos XXXII, 1986, pp. 285-296; A. Carandini, A. Ricci e M. De Vos, *Filosofiana. La villa di Piazza Armerina*, Palermo 1982, pp. 31 sgg. e 44 sgg.; S. Calderone, *Contesto storico, committenza e cronologia*, in Aa.Vv., *La Villa Romana del Casale di Piazza Armerina*, «Cron. Arch.», 23, pp. 31 sgg.

19. R. Panvini, 1995; Eadem, *I porti e gli approdi della fascia costiera della Sicilia da Pachino a Gela*, tesi discussa alla scuola di Specializzazione in Arch. Class. dell'Università di Catania, 1995.

20. R. Panvini, 1992; R. Panvini e V. Caminneci, 1993.

21. Sugli aspetti della proprietà fondiaria in Sicilia e sulla distribuzione dei latifondi si veda: *Società romana e Impero tardoantico. Le merci e gli insediamenti*, a cura di A. Giardina e A. Schiavone, Roma-Bari, 1986, vol. III, pp. 463-521 (con bibliografia relativa).

22. In proposito si vedano: G. Rickmann, *The Corn Supply of Ancient Rome*, Oxford 1980; D. Crawford, *L'impero romano e le strutture economiche e sociali delle provincie*, Como 1986; Aa.Vv., *Città e contado in Sicilia tra il III e il IV sec. d.C.*, «Kokalos», XXVIII-XXIX, 1982-83, pp. 315-343 (con bibliografia relativa); M. Mazza, *L'economia siciliana tra Impero e Tardo Impero*, in *Contributi per una storia economica della Sicilia*, Palermo 1987.

23. Cfr. Disca, *op. cit.*, p. 24.

24. D. Adamesteanu, 1958 (d), p. 374.

25. Da sciogliere in *Egnatiana*, cioè *praedia di Egnatius*; R. J. A. Wilson, *Sicily under the Roman Empire*, Warminster-Wiltshire 1990, p. 217 ha proposto di sciogliere l'iscrizione in E(x praediis) CN. ATI(ii).

26. Matteo 9,1: Luca 5,18.

27. Cfr. NSc, 1956, pp. 392 sgg.

28. Greg. I, *Registrum Epistolarum*, IX, p. 236; in proposito, L. M. Hartmann, *Gregorii I Papae Registrum Epistolarum*, 2ª ed., Berlino 1957.

29. G. Delle Colonne, *Storia della guerra di Troia*, a cura di M. dello Russo, Napoli 1868, pp. 254-255. Sulla fondazione di Gela si veda: I. Nigrelli, *La fondazione federiciana di Terranova tra continuità e rottura*, in *L'età di Federico II nella Sicilia Centro Meridionale*, «Atti delle Giornate di studio» a cura di S. Scuto, Gela 1990, pp. 67 sgg. (con bibliografia relativa).

30. L. Dufour, *Gela e Augusta: due città, due castelli*, in *L'età di Federico II*, cit., pp. 85 sgg.

31. Cfr. I. Nigrelli, art. cit., pp. 74-75.

32. I. Peri, *Uomini, città e campagna in Sicilia dall'XI al XIII secolo*, Bari 1978, p. 42.

33. A. Ragona, *La ceramica medievale dei pozzi di S. Giacomo a Gela*, in «Atti XII Convegno Internazionale della Ceramica», Albisola 1979, pp. 89 sgg.; Idem, *Della provenienza della protomaiolica "tipo Gela"*, in «Atti XXIII Convegno Internazionale della Ceramica», Albisola 1990; Idem, *Dalla edificazione di Heraclea, la Gela medievale, e dell'impianto in essa di officine ceramiche*, in *L'età di Federico II* cit., pp. 95 sgg.; S. Fiorilla, *Considerazioni sulle ceramiche medievali della Sicilia centro-meridionale*, in *L'età di Federico II* cit., pp. 136 sgg. (con bibliografia precedente).

34. P. Orlandini, 1966, pp. 10 sgg.

35. M. Aymard, *Une famille de l'aristocratie sicilienne aux XVI et XVII siècles: les ducs de Terranova*, in «Revue Historique», a, 96, pp. 29 sgg.

36. T. Fazello, 1575, p. 275.

37. C. Camillani, *Descrittione dell'Isola di Sicilia*, in Bibl. Stor. Lett. Sic., a cura di G. Di Marzo, vol. XXV, Palermo 1884.

## La storia di Γέλας attraverso gli studi e le scoperte

1. Cl. M. Arezzo, 1527.

2. T. Fazello, 1573, deca I, cap. II, p. 201.

3. *Ibidem*, deca I, cap. II, p. 202.

4. V. Amico, 1757, Tomo I, s.v. *Gela* e Tomo II s.v. *Terranova*.

5. F. Cluverio, 1619, p. 200.

6. In proposito si vedano: G. Massa, *Sicilia in prospettiva*, Palermo 1709, pp. 355-356; C. F. Pizzolanti, 1753; J. Ph. D'Orville, 1764, pp. 368-372; B. M. Candiotto, 1791, p. 424; I. Paternò principe di Biscari, 1817, pp. 11 sgg.; Dimenza Vella, 1846; G. Linares, 1845; S. Costa, 1857; G. Cannarozzi, 1871, pp. 18 sgg. Sull'identificazione di Gela a Licata è tornato G. Navarra, 1964, 1975; G. Uggeri, 1968. Manni nel 1971 interviene per mettere fine a questa secolare polemica.

7. G. Schubring, 1873, pp. 82-139.

8. Diod., XIII, 108 sgg. Diversi scritti sono apparsi sull'accampamento cartaginese posto nelle vicinanze di Gela; in proposito si vedano: G. Cultrera, 1908, pp. 3-14; L. Pareti, 1910, pp. 1-26; D. Adamesteanu, 1957 (b), pp. 3-18.

9. G. Schubring, 1873, p. 89.

10. E. A. Freeman, 1891, I, pp. 402 sgg., III, pp. 220 sgg.; A. Holm, 1896, I, pp. 278 sgg., II, pp. 220 sgg.; Ziegler, s.v. *Gela* in *Reälencyclopadie Pauly-Wis-*

*sowa*, VII, col. 995; O. Presti, *Gela ellenica*, 1928, pp. 45 sgg.; R. Battaglia, *L'immane Gela*, Gela 1954, pp. 20 sgg.

11. Costa, 1857.

12. *Ibidem*, p. 22; O. Presti, 1928.

13. S. Damaggio Navarra, 1896, p. 61; sul teatro di Gela si veda anche: P. Griffo, 1947.

14. Basta leggere in proposito le pagine scritte dall'Orsi nel volume *Gela. Scavi del 1900-1905*, in «Mon. Ant. Linc.», 1906, vol. XVII, coll. 24-25.

15. Cfr. «Boll. della Commissione di Antichità e Belle Arti di Sicilia», 8, Palermo 1864, 1.

16. Per le opere dei tre studiosi si veda la Bibliografia.

17. *Biblioteca Topografica della Colonizzazione greca in Sicilia e nelle isole tirreniche*, Pisa-Roma, s.v. *Gela*, pp. 240 sgg.; E. De Miro e G. Fiorentini, 1972-73, pp. 228-250; G. Fiorentini, 1977, pp. 90 sgg.; Eadem, 1978, pp. 90-99; Eadem, 1977, pp. 105-114; Eadem, 1980, pp. 581 sgg.; Eadem, 1985.

18. R. Panvini, 1993.

# Fonti iconografiche

Le fotografie fornite dal Museo Archeologico di Gela e dal Museo Archeologico Regionale di Siracusa sono state pubblicate per gentile concessione dell'Assessorato BB.CC.A.A. e P.I. della Regione Siciliana.

Le figure sono tratte rispettivamente da:

N. 7, P. Orlandini, 1962 (a); NN. 15, 19, 20, 21, 36, 37, 38 da P. Orsi, 1906; NN. 11, 28, 29, 30, 31 da L. Bernabò Brea 1952; N. 14 da P. Orlandini, 1968; NN. 33-34 da P. Orlandini, 1968; NN. 45, 46-47 da P. Orlandini da NSC, 1960; N. 22 da G. Fiorentini, 1985; NN. 12, 13, 23-27, 39 da G. Fiorentini, 1977; N. 48 da P. Orlandini 1956 (b).